Una casa vacía

Carlos Cerda

Una casa vacía

ALFAGUARA

ALFAGUARA

Pedro de Valdivia 942, Providencia,
Santiago de Chile

- **Santillana, S.A.**
  Juan Bravo 38, 28006 Madrid, España
- **Aguilar, Altea, Taurus, Alfaguara, S.A.**
  Beazley 3860, 1437 Buenos Aires, Argentina
- **Editorial Santillana, S.A. (ROU)**
  Javier de Viana 2350, (11200) Montevideo, Uruguay

ISBN: 956 - 239 - 021 - 7
Inscripción Nº 97. 724
Impreso en Chile/Printed in Chile
Primera edición: septiembre de 1996
Tercera edición: abril de 1998

Diseño:
Proyecto de Enric Satué
Cubierta:
Foto Image Bank

Índice

Primera parte

La restauración

Se fueron todos, la casa está vacía.
Y cuando abres la puerta hay un espejo
en que te ves entero y te da frío.

Pablo Neruda,
Cantos ceremoniales

CAPÍTULO UNO

1

La tarde en que la vieron por primera vez se preguntaron cómo era posible que una casa tan linda hubiese estado tanto tiempo vacía. Ahora sí se podía hablar de una oportunidad irrepetible, una oferta que sería de locos despreciar. Ésta es la oportunidad, mi lindo, le dijo Cecilia a Manuel esa noche, y el hombre descubrió en las palabras de su esposa una ternura olvidada. Acostados en el estrecho dormitorio del departamento recordaron la imponente arquitectura de la casa, la amplitud solemne del salón vacío, los macizos postigos, la escalera cuyo pasamanos de madera fina relucía ya encerado en la imaginación de la pareja. Las niñitas tendrían espacio de sobra para sus juegos, no sólo en el enorme jardín, en verdad bastante abandonado, sino también en las dos piezas del segundo piso cuyos ventanales daban a un encuentro de patios traseros muy de Ñuñoa, con parrones que recién empezaban a reverdecer, grutas arrimadas a las panderetas y casuchas de perros lánguidos, inofensivos. Del desamparado patio trasero la memoria de Manuel favorecía la magnífica extensión arrasada por la maleza y algunos árboles frondosos, probablemente nogales, ciruelos, algún palto, el aroma fresco de los naranjos. Había que hacer, claro, un gasto considerable para que la casa recuperara su señorío. Pero mi papá nos prometió dejarla como nueva, fue el comentario alentador de Cecilia, que pensaba ya en un cuarto para ella, esa salita pequeña junto al dormitorio: allí podría pasarse tardes enteras leyendo, preparando sus clases, repasando la ropa de las niñitas. Sí. Sería una locura no aprovechar una oportunidad como ésta.

Esa noche se acomodaron sin sorpresa en una costumbre que parecía olvidada. Hablaron sobre los días por venir y también sobre asuntos que siempre provocaban conflicto, sin que se produjera esta vez ni el asomo de una rencilla. Calcularon gastos e inventaron ahorros que asegurarían el dinero para los muchos arreglos que debían emprender. Cecilia dijo que primero se podría pintar toda la parte de abajo y raspar el parquet, que está como manchado, ¿te fijaste?, y al mes siguiente el segundo piso, y al final, con ahorros nuevos, el jardín; idea que Manuel rechazó, aunque evitando esta vez lo que Cecilia llamaba «ese tonito pontificador que me pone los pelos de punta». Le explicó que ir haciendo todo por partes salía más caro, pues los precios de la pintura, la madera, el cemento, estaban siempre en alza, y además con ese sistema no se puede discutir de una sola vez con el contratista un presupuesto conveniente. Lo mejor sería visitar la casa al día siguiente con el padre de Cecilia, entusiasmarlo, su hija tiene razón, don Jovino, no se va a presentar otra ocasión como ésta, un patio tan lindo para las niñitas, y él no va a tener inconveniente en prestarnos lo que se necesite para que la casa quede convertida en una maravilla, mi amor; ya me veo en el verano leyendo bajo la sombra de esos árboles, ¿cómo se llama ése tan grande, tan frondoso?, y consideraron la posibilidad de no ir ese verano a la playa: con el arriendo de la casa de El Quisco pagarían una parte de los arreglos, el padre de Cecilia les ayudaría, de eso estaban seguros. Pero déjame hablar a mí con él, Cecilia: quiero que sepa que le vamos a devolver hasta la última chaucha, y recordaron que a pesar de esas manchas en el piso y las paredes, las cañerías se habían cambiado hacía menos de tres años, así les aseguró el funcionario de la Inmobiliaria, quien dijo además que se había reforzado la potencia de los generadores, dos cosas muy importantes, mi amor, porque las casas de Ñuñoa son lindas pero viejas, muy heladas, húmedas, y además hay que tener en cuenta que ahora se usa tanto artefacto eléctrico...

La idea del asado surgió entre los primeros bostezos, luego de recordar una vez más el follaje de los árboles. Cecilia se inclinó sobre Manuel para hablarle con una ternura que éste no pudiera ignorar. Manuel descubrió una nueva juventud en los ojos de su mujer, ahora tan cerca de los suyos.

—Y cuando estemos instalados inauguramos la casa con un asado, lo preparamos ahí, bajo ese árbol tan grande, e invitamos a la Marcela con Cristián, él va a entender que es una manera de agradecerle lo del crédito, y a la Julia Medina, por supuesto, y capaz que para esa fecha Andrés ya esté retornado, el pobre.

—¿Tú crees que deberíamos invitarlo? Total, hace doce años que no lo vemos —dijo Manuel no muy a gusto con la idea.

—Sí, pero acuérdate de que era el dueño de la casa, tontito.

—¿Y a tu papá?

—¿Qué?

—¿Lo invitamos?

—¿Se te puede pasar por la mente no invitarlo?

De todas maneras, pues. Y por favor no se pongan a discutir de política con él. El viejo es fregado pero tiene su lado bueno.

—Oye, es siempre tu papá el que empieza...

—Tú sabes que nunca se queda mucho rato. Y a propósito de tensiones, ¿te parece bien invitar a la Marcela si va a venir Andrés? —preguntó Cecilia luego de un bostezo.

—Pero qué importa, si ésos están separados hace como quince años.

—Mejor le pregunto a la Marcela.

Manuel puso su mano en la cintura de Cecilia, sintió el calor de su cuerpo en la suave tela de la camisa, la acarició, cartuchona, qué tiene que ver que hayan estado alguna vez casados, hoy cada uno tiene su vida resuelta. Buscó con la suya la boca de Cecilia y el largo beso fue venciendo esa frialdad que ya creían instalada para siempre en sus cuerpos, fue derrotando de a poco tiempos y distancias. Cecilia se estiró en la cama y, gimiendo débilmente, rozó la oreja de Manuel con sus labios, vamos a bailar bajo el parrón, mi amor, discos de los Platters y de Frankie Lane...

Más tarde, en el sueño, Cecilia vio el frondoso follaje de un árbol enorme, sacudido por un ventarrón, golpeándose contra los vidrios de un ventanal.

2

En los días siguientes se fue realizando sin alteraciones todo lo imaginado por la pareja. Don Jovino planteó objeciones menores, incapaces de contener la decisión avasalladora de quienes querían vivir lo antes posible en la nueva casa, y finalmente aportó la suma adicional que permitió las reparaciones. Éstas resaltaron la amplitud de los espacios y la sobria elegancia de la casa. Desaparecieron las manchas de las paredes y del piso, alcanzando las primeras una impecable blancura y el parquet la cálida simplicidad de la madera recién pulida. Sólo en el cuarto de los niños, aunque se hizo un raspaje minucioso, persistió atenuado sobre el piso el rastro de una quemadura. La tierra del jardín fue removida y libres de la maleza los rosales hicieron resplandecer su flor perfecta, enmarcada por el césped que creció rápido y firme. La poda de los árboles aclaró la tranquila extensión del patio y el sol, que hacía años no calentaba ese terreno, llegó ahora con fuerza, lo que hizo brotar en pocos días las semillas de *long grass* y de trébol, y florecer los gladiolos que Cecilia mandó plantar junto a la pandereta. Ésta, alba de cal, encendía ahora, en las noches de luna, un límite de blancura azulina más allá del cual se erguían como sombras de gigantes pacíficos los árboles de los patios vecinos. El de la casa de Cecilia no se parecía ya en nada a esa amalgama verde de malezas y arbustos desbocados, de telarañas, sapos, insectos, esa cosa aberrante, medrosa, ese follaje batiéndose con furia por la fuerza del ventarrón, aplastándose contra su ventana, arañando los vidrios, gimiendo, como ella había vuelto a soñar en las últimas noches.

El modesto artífice de la maravilla fue el maestro Barraza, liberado por don Jovino de las obras de la Inmobiliaria para que se dedicara esas semanas exclusivamente a la restauración de la casa. Albañil cuando se podía serlo, jardinero en los tiempos flojos, merodeador de ocupación incierta en los francamente malos, y además calculista, aunque esto más por viejo que por diablo, ofreció sus servicios por una cantidad que los nuevos propietarios consideraron una segunda ganga que venía a sumarse de manera casi milagrosa a la primera, pues el precio final de la propiedad fue resultando más y más conveniente a medida que los afanes del maestro Barraza iban haciendo relucir sus espacios. Cuando terminó la segunda mano de pintura verde en el portón de metal y lijó la mirilla para evitar el chirrido que provocaba el óxido al abrirla, se consideró concluida a la perfección su tarea.

Durante las tres semanas que duraron las faenas de reparación, Cecilia y Manuel fueron consolidando su reencuentro, estimulados por los cambios favorables que observaban en la casa cada tarde, cuando después del trabajo pasaban a controlar los avances y premiar con algún anticipo y un par de palabras generosas los empeños agotadores del maestro. A veces, sin embargo, recaían en rencillas y malentendidos que a Cecilia le parecían cosa del pasado. Deseosa de evitarlos, prefería ver en las actitudes descomedidas de su esposo una consecuencia de la natural tensión que suponía instalarse en una nueva casa. A veces, sin embargo, cuando simulando dormir escuchaba a Manuel deslizarse cautelosamente de la cama para ir a sentarse en la cocina frente a un vaso de vino, como antes, y leer distraídamente los titulares del día, pensaba que la promesa de tiempos mejores tan obsesivamente vinculada a la casa nueva era sólo una mentira en la que ella se empeñaba en creer. Recordaba entonces que Marta y Felipe, poco antes de su separación, habían decidido tener su tercer hijo; y que Alicia había decidido tan inesperadamente casarse con Antonio, para vivir unas pocas semanas de felicidad, dos o tres meses de incertidumbre y cuatro años de insoportable confrontación... de los que debió finalmente reponerse mediante cura de sueño en una clínica privada. Escuchaba en silencio el regreso de Manuel a la cama, lo sabía tan desvelado como ella, y para no molestarlo con preguntas repetidas trataba de pensar en otra cosa, y entonces de nuevo el color de la piececita que sería su refugio: había visto esa tarde un lila suave, muy sobrio, especial para relajarse, hablaría mañana mismo con el maestro.

En sus fugas a la cocina, después del segundo vaso de vino y algunos cigarrillos, Manuel empezaba a recobrar una cierta serenidad, disfrutaba de la paulatina pacificación de sus demonios, se hacía adicto a ese encuentro tardío con el sosiego. En medio de tantas frustraciones y deberes perentorios, de tantas cosas que habían ido muriendo sin que ninguna naciera, adivinaba en el espacio solitario de sus noches que la nueva casa abría una de sus puertas a la esperanza. En ella sería más fácil estar solo. Tendría su escritorio en el primer piso, en la pieza que daba a la terraza; ordenaría sus viejos discos, volvería a escuchar música, a lo mejor revisaba esas fotos que se fueron perdiendo en carpetas olvidadas. En el sótano podría instalar un cuarto oscuro para revelar fotografías, esa pasión modesta a la que se había entregado durante sus primeros años en la Inmobiliaria. Sí, con el tiempo, cuando salieran de los gastos, instalaría allí una buena ampliadora, la compraría de ocasión, ahora todo el mundo vendía barato sus cosas. Le preocupaba sin embargo ese empeño de Cecilia en reconstruir la relación a imagen y semejanza del pasado. ¿Cómo no se daba cuenta de que ese pasado estaba muerto y que nada lo haría renacer? El objetivo comúnmente acordado con don Jovino cuando la separación pareció inevitable no fue recuperar la felicidad perdida, sino salvar el matrimonio. En la nueva casa que él les regalaba había que hacer todos los esfuerzos y sacrificios —éstas eran palabras frecuentes en boca de don Jovino— para evitar los conflictos que condujeran a la ruptura. Tanto para Manuel como para don Jovino, la nueva vida de la pareja se parecía mucho más a un futuro de distancias controladas que a un pasado de cercanías ya imposibles. Y era esto precisamente lo que Cecilia se negaba a aceptar. Para ella la casa nueva era sinónimo de un nuevo comienzo; para Manuel, en el mejor de los casos, el sometimiento a un mejor final. Para Cecilia la restauración y el alhajamiento de la casa fueron acompañados cada día de labores que le devolvieron también a ella la espléndida apostura de sus años jóvenes. Cambió de peinado; anuló las primeras canas que habían alarmado sus noches solitarias frente al espejo del tocador, a la hora en que Manuel se perdía en el humo y el vino de su también solitaria sobremesa; retomó la gimnasia; avivó los colores de sus prendas y se propuso instalar en su rostro la bandera de la armonía perpetua: una sonrisa que era difícil sostener más allá del mediodía, pero que reaparecía por las tardes, cuando llegaban a ver los avances en la restauración de la casa. Pensando en esa sonrisa y en el peinado nuevo al que no terminaba de acostumbrarse, tratando de entender el obstinado empeño de Cecilia, Manuel encendía otro cigarrillo y se servía un vaso más, mientras sentía que todo iba perdiendo densidad. Los ecos de la radio llegaban débilmente desde la pieza de servicio. Berta podía pasarse toda la noche sin dormir, o tal vez dormía hasta la mañana con la radio prendida. Daba lo mismo. Todo a fin de cuentas daba más o menos lo mismo. El cansancio era a esa altura la única fuente de placidez. Oía la débil cadencia de la música, miraba las revistas sin leerlas, se detenía en una que otra foto. Sí, en el sótano, con unos pocos pesos... Hablaría mañana mismo con el maestro.

La vuelta a la cama no alteraba la continuidad de esa noche solitaria. Allí, junto a él, el desvelo de Cecilia —cuando lo advertía— le pesaba como un silencioso reclamo, un llamado a cumplir con el único deber que había dejado de ser perentorio.

Por las tardes, sin embargo, todo parecía darse de otra manera, como si otro Manuel y una Cecilia distinta visitaran antes de cada anochecer la nueva casa. Ella llegaba agitada, ansiosa por saber si el lila suave, después de secarse, alcanzaba en las paredes de la piececita el tono que a ella le gustó tanto en el catálogo; quería ver cómo el maestro Barraza continuaba construyendo sin problemas su milagro. Ahora se abría sin esfuerzo la ventana redonda del baño, y Manuel comprobaba feliz que los tres últimos días el maestro había trabajado exclusivamente en el sótano, y por eso ya no se veían esas manchas tan feas que empezaban en los peldaños de cemento; había echado una manito de cal sobre los muros y colocado unas repisas de madera en el compartimiento más pequeño. Y como si se tratara efectivamente de un milagro, la tonalidad final del color elegido por Cecilia era idéntica a la muestra, el sótano limpio coincidía con el cuarto oscuro que Manuel había construido en su imaginación, las baldosas de la terraza relucían con el encerado, el jardín se iba poniendo cada día más verde, más alegre de mariposas y capullos abiertos.

Más de una vez se habían preguntado por qué encontraron la casa en un estado tan calamitoso. Manuel argumentaba entonces que Andrés había estado doce años afuera, y tú sabes muy bien que hay arrendatarios que no se preocupan, sobre todo si el dueño no está encima. La gente que la habitó durante esos doce años había sido descuidada, tal vez gente vieja, digo yo, sí, viejas solas. Y avanzaban en la fantasía y en el juego a la hora del aperitivo: viejas solas con olor a polilla, decía Cecilia con una mueca; viejas donosianas, agregaba Manuel, como sacadas de *El obsceno pájaro de la noche.* Sí, viejas decrépitas y atroces que permitieron la ruina de una casa tan linda. Seguro que en el cuarto de las niñitas hacían magias y sahumerios, por eso el parquet negro, quemado. Claro, el brasero de los sahumerios, ahora entiendo, Cecilia alzaba la voz, ahora entiendo, y ahora sé por qué esas manchas tan feas por toda la casa. Brujas que habían esperado el graznido de las lechuzas bajo los árboles del patio; no, mejor todavía, iluminadas por la luz de la luna, viejas lunáticas que habían llenado la casa de gatos y fantasmas, de manchas y quemaduras...

Manuel se reía entonces de la imaginación tan literaria de su mujer. Riendo se acercaron esa noche a la cama, entre risas fueron entrando en el amor y más tarde, con la visión de una casa alba de cal enmarcada en la sombría frondosidad de unos árboles, cayeron en un profundo sueño. Se durmieron sin recurrir a pastillas para los nervios ni para el colon irritable. El mejor calmante era haber comprobado una vez más la eficiencia del maestro Barraza, que había cumplido sin errores la tarea del último día y restaurado ese espacio que sería desde ahora un estímulo para la nueva vida de la pareja.

Los esposos decidieron que el asado de inauguración tendría lugar el segundo sábado de octubre, unos días después de la mudanza.

CAPÍTULO DOS

3

Don Jovino estaba revisando en el álbum filatélico su colección de banderas cuando recibió la llamada de su hija invitándolo al asado. Aceptó sin mayor entusiasmo, preguntó por las niñitas, dijo que llegaría después de la comida porque tenía un compromiso y no consideró necesario advertir que se retiraría una vez cumplida la formalidad. Recién al enviudar sus visitas al departamento de Cecilia se habían hecho regulares. Llegaba cualquier día de semana a la hora del té y se entretenía la mayor parte del tiempo jugando con sus nietas, ayudándole a la mayor en las tareas de historia, lamentando en el fondo que no fuera un hombrecito a quien entusiasmar con descripciones de uniformes, ejercicios de guaripola y relatos de contiendas heroicas. Si por alguna razón aparecía por el departamento los domingos, Manuel le ofrecía cortésmente un aperitivo y luego pretextaba algún compromiso que lo obligaba a partir, dejándolo sólo en compañía de su hija y sus nietas. Y como don Jovino sabía que a la hora del asado sus nietas ya estarían durmiendo, y que en cambio debería tolerar todo el resto, ahora pretextó él, en respuesta a la invitación de su hija, una comida con antiguos conmilitones, algo programado desde hacía tiempo y que él mismo se había encargado de organizar.

Marcela, en cambio, se alegró. Contestó la llamada de Cecilia como se habla por las mañanas, ese tono ansioso, ese entusiasmo que acompaña siempre el comienzo de algo, la premura entre el café y la ducha, las tostadas junto a la sábana de baño y ella también sobre la cama como en un lugar indebido, desnuda junto a los restos del desayuno, cubriéndose las piernas con la sábana al encender el primer cigarrillo, porque basta oír una voz en el teléfono para que una serie de actos casi automáticos sean gatillados y entonces dedos nerviosos sacando el cigarrillo de una cajetilla trasnochada, dónde diablos dejé el encendedor, ¿Marcela? —y es la voz de Cecilia, la reconoce de inmediato, ¿Cecilia?—, y Cecilia oye en el auricular el sonido inquietante de un fósforo recién encendido.

—Me va a encantar conocer tu nueva casa. ¡Imagínate! Supongo que invitarás a Andrés —le dijo Marcela ya bien adentro del cigarrillo y la conversación.

—¿Andrés? ¡No me digas que ya está aquí!

—Sí, tonta, acaba de llegar. Mañana viene a ver a Matías.

—Bueno, si tú no tienes nada en contra...

—¡Pero cómo se te ocurre! Imagínate lo contento que se va a poner el pobre. Además, tiene costilla nueva. Una germana que debe ser *la lata,* mijita. Pero no la verás en el asado porque se viene recién para Navidad.

Esa noche «el pobre Andrés» fue el tema de conversación entre Cecilia y Manuel.

—¿Y qué piensa hacer aquí? —preguntó Manuel.

—Marcela dice que podría conseguirse una beca, esa ayuda para los retornados, trescientos dólares al mes. No está mal, ¿no?

—¿Y si quisiera vivir en su casa?

—No creo. Sergio lo hubiera sabido. Además, la casa ya está comprada.

—¿Has visto el contrato de compraventa?

—Pero cómo le voy a pedir eso a mi papá. Si te hacen un regalo no pides que te den también la boleta.

—Es distinto. Deberíamos tener ese contrato.

—Bueno, bueno, más adelante se lo pediré. ¿Tú crees que él nos haría algo así, sabiendo el dineral que se ha invertido?

—¿Tu padre?

—Cómo se te ocurre. Estoy pensando en Andrés. Él jamás nos pediría deshacer ese contrato. Además esa casa es enorme para él.

—¿No tienen niños?

—¿En qué piensa usted cuando le hablo? Le dije que no se han casado todavía.

Esa misma noche lo llamaron a la casa de sus padres para invitarlo. Andrés los saludó con entusiasmo, se alegraría de ver a Manuel después de tantos años, recibía todos los días una nueva invitación, voy a quedar con el hígado en la mano. Cecilia le habló de los innumerables arreglos que debieron hacer en la casa y de lo deteriorada que estaba, mientras le hacía guiños de complicidad a Manuel. Andrés dijo que se alegraba por ellos, prefería eso a que la hubiesen comprado unos desconocidos, él se iría a un departamento, algo chico, la beca no duraba mucho y con la plata de la venta en el banco podría darse vueltas los primeros años. Sí, claro, iba a comer con su hermano Sergio esa noche, él mismo se encargaría de avisarle lo del asado.

Con Julia habló por lo menos una hora. A Cecilia le divertía la incontinencia verbal de su amiga, esa metralla de sarcasmos e irreverencias que disparaba sin pausa, temerosa tal vez de que en la tregua de un silencio acechara el peligro, la caída de la máscara, y entonces un solo disparo de la realidad fuera el tiro de gracia, el punto final. Claro que le encantaría ir al asado, con tal de que no se lo pasen toda la noche ha ciéndome preguntas sobre la Vicaría, el temita me tiene las que te dije como platillo y el colon enrollado hasta la faringe. Sí, voy. Seguro que voy. ¿Que lleve a Andrés? Anda sin auto el pobre. Claro, si llegó hace tres días, difícil que ya tenga un auto. Bueno, que me pase a buscar, el taxi está disponible. ¡Ojalá a Ramón lo inviten a una fiesta este sábado, porque ni pensar en la abuela. Anoche, con un impermeable estilo Michèle Morgan (estoy cultivando esa línea, mija), me dirigí en pos de mi retoño a la casa de su abuela paterna recién llegada de un viajecito de dos meses por Europa. Les estuvo hinchando las pelotas a los exiliados de todas las tendencias, lo que es harto decir, te aseguro. La pobre llegó más comisaria de los años treinta que nunca: lo plomo y lo pontificador. ¡Qué macana! Mi pobre hijo seguirá condenado a tenerme como referente afectivo único, ya que con ese ropero glacial de abuelita no irá a ninguna parte. Pero se las arreglaría con Ramón para llegar a la fiesta, además qué ganas de ver a Andrés, escuchar a los retornados te levanta el ánimo, ¿no crees? Es como leer el último capítulo de *América,* los escucho y me siento ya en el Gran Teatro Natural de Oklahoma, la cara del mundo atravesada de oreja a oreja por una sonrisa que mejor ni te cuento. Andan tan perdidos los pobres, creen que si no vuelven luego se van a perder lo que llaman «la coyuntura decisiva», ¿te das cuenta?, siguen en lo mismo, juran que el caballero cae este año, pobrecitos... El año decisivo, le dicen. Bueno, para ser justas, estos angelitos no son los únicos que andan más perdidos que el Teniente Bello, ¿viste los diarios de hoy? La demencia de este país es tan aguda que lo único de que se habla son las cacas de

Arrau. El pobre maestro prueba una humita, una longaniza o la simple agüita chilensis, y toda su flora intestinal anglosajona se va literalmente a la mierda. ¿Qué te parece? Acuérdate de tener mucha agua mineral y mucho puré de manzanas, parece que mi colon está decidido a dejarme en los huesos y justo ahora que empiezo a jugar los descuentos, o sea cuando darías el reino que nunca tuviste por una percha que a lo mejor tampoco... Bueno, qué quieres que te diga, mi colon está como el paisito, parece que ya no tiene remedio...

4

Qué es un reencuentro, se venía preguntando Andrés desde hacía meses, mucho antes de aterrizar, cuando aún caminaba las veredas heladas del invierno berlinés. ¿Un viaje frustrado en la máquina de Verne? ¿Un delirio que te promete lo idéntico al pasado y descubres en cambio el deterioro, la pérdida, el castigo del tiempo? ¿O es la mirada sin velos a esta nueva estación de tu viaje? ¿El espejo en que redescubres en los otros tus arrugas, tu pelo más cerca del final, tu propia caída, pero también esas ganas tremendas de volver a ser ese cálido verano que sólo puede perdurar en la memoria? ¿Un descubrimiento, quizás? Y si es eso, ¿qué descubre el hombre en esas palabras sordas que suenan como un eco, una réplica, una parodia de lo dicho entonces? ¿Qué se puede salvar de ese vacío? ¿Qué descubre el ojo que recuerda?

La llegada había excedido las emociones que estuvo imaginando en el último tiempo, superando esa intensa sensación de amparo que conmociona a quienes regresan al fin del mundo luego de un largo tiempo: el sobrevuelo de la cordillera, aquella inmensidad blanca que esa tarde Andrés relacionó, y sin saber exactamente por qué, con su cama de niño, asociación que le provocó la primera cerrazón de la garganta. Sentimental a punta de pérdidas y despedidas, el encuentro con su madre y sus hermanos en el aeropuerto, y luego con su padre en la casa de la calle Condell, le instaló definitivamente esa amargura en la boca reseca. Un largo quejido del viejo y el llanto mal disimulado que resultaba más patético todavía subrayaron para Andrés ese derrumbe sobre la silla de ruedas que por primera vez veía; sí, por primera vez al final del largo tiempo perdido, y el ojo que de nuevo descubre y termina ahora estremeciéndolos a todos. ¿Qué descubre el ojo que recuerda? Quiso aplacar la súbita sequedad de su boca fumando un cigarrillo tras otro y tomándose de un trago los vasos de pisco *sour* que su hermano Sergio, comprensivo, iba colocando en su mano apenas se zampaba el anterior. Su hermana Irene intentó distraerlo recordando que no habían comprado las bebidas. Alguien hizo un chiste piadoso que no se entendió, pero así tuvieron justificación las carcajadas de mentira que tardíamente dibujaron una sonrisa temblorosa en el rostro de su padre, aún arrasado de lágrimas. Sí, había que salir inmediatamente a comprar esas bebidas, y que vayan los hombres porque hay que llevar dos cajas pesadas, ordenó Irene con más desesperación que energía, y Sergio agregó tú vienes conmigo, Andrés, para que conozcas el barrio. En la calle, tan pronto hubo cerrado de un golpe la puerta más pequeña incrustada en el portón de madera, disfrazó de advertencia la pésima nueva: es muy importante evitar las emociones fuertes, en cualquier momento le puede sobrevenir la segunda hemiplejia.

De todas las frases recurrentes que escuchó en los días que siguieron a su llegada, las que volvía a oír una y otra vez en el comedor o durante un paseo, no fue ésta, sin embargo, la que lo asedió con más frecuencia, sino otra, escuchada en el auto cuando recién se alejaban del aeropuerto. Él iba adelante, junto a su hermano Sergio, que despegó la vista de la carretera y le dijo, cambiando notoriamente el tono de su voz: «Es muy importante que no sepa todavía cuándo te vas. Cree que te quedas para siempre. Ya veremos cómo decirle que tu permiso es sólo por quince días».

Mientras recorrían los pasillos del supermercado, Sergio reiteró su advertencia. Esos doce años el viejo había vivido sólo para esperar el regreso del hijo mayor. Primero esperó que saliera de la embajada de Colombia sin que fuese necesario el asilo en otro país; le decían que había ocurrido así en otros lugares, a lo mejor los asilados permanecían indefinidamente en las embajadas, ya funcionaba a la perfección un sistema de contactos con las familias, una rutina de visitas regulares y seguras. Pero un día fueron entregados los salvoconductos, la población extranjera de la embajada subió a un *Hércules* de la Fuerza Aérea Colombiana, el avión subió a su vez hasta los nueve mil metros de altura y, justo nueve mil kilómetros al norte de la casa de don Andrés en la calle Condell, depositó su desconcertada carga, esa muchedumbre obligada desde ahora a vivir la distancia, a dormir y respirar desde la distancia, a querer y a morir en la distancia. Entonces el viejo se acostumbró a sacar todas las tardes su silla al patio, y se ponía a esperar al cartero en la calle, sentado a la puerta de su casa, cuidando en los inviernos de cubrirse las piernas con un poncho de castilla y la cabeza con su gorra de *tweed*, encasquetada hasta las orejas. Esperar sus cartas era lo más parecido a esperarlo a él. Y cuando sobrevino la hemiplejia, en opinión de toda la familia, pero especialmente del doctor Oteíza, que hizo siempre hincapié en ello, el mayor estímulo para una recuperación asombrosamente rápida, considerando sus años, fue el deseo de volver a sentarse a la puerta de su casa a esperar al cartero, porque era así como le gustaba recibir esos sobres celestes: sólo así, mirando calle abajo, podía verlo caminando, como cualquier tarde de los días normales, haciéndole un saludo desde lejos, el brazo en alto, en la otra mano un maletín entonces, una maleta ahora en las visiones vespertinas de don Andrés. Y aunque no recibiera la esperada carta esa tarde, con más fuerza se formaba ante sus ojos la visión de la llegada, la maleta y el saludo. Don Andrés subía al comedor, tomaba su sopa caliente con los ojos fijos en algo que nadie en la mesa podía imaginar, y se iba a la cama tranquilo, porque allí era más cómodo seguir dentro de ese único sueño. La hemiplejia que lo abatió el último invierno había dejado como secuela no sólo ese estado de semiparálisis que lo postraba en la silla de ruedas, sino otra menos visible pero más grave: la paralización total de un riñón, y parcial del otro. En esas condiciones, a la familia le pareció que ese día tan anhelado por el padre no alcanzaría a llegar. Pero la promulgación de la amnistía y la autorización para que Andrés realizara este viaje —en el que había insistido desde el día mismo del ataque que derrumbó a su padre— tuvieron un efecto casi milagroso en la recuperación del anciano. Acicateado por una sola idea, reducir al mínimo las señales visibles de su desgracia para no causar un dolor mayor al hijo, perseveró como nunca en la terapia de rehabilitación, con el explicable asombro de la enfermera, la terapeuta y la familia completa. Como la parcial recuperación del brazo izquierdo y el movimiento algo inseguro de la mano habían parecido a esa altura impensables, todos consideraron que el retorno del hijo operaba el milagro, y para que éste ocurriera de la manera más completa, decidieron que no era bueno contarle al viejo que Andrés, en sus llamadas desde Berlín, había hablado de una visita de solamente dos semanas. Coincidieron todos en que la visita tendría efectos terapéuticos, con lo cual el doctor Oteíza concordó, indicando, eso sí, que debían ser muy cuidadosos en el momento de revelar la verdad. En definitiva, él no tenía objeciones contra las mentiras piadosas. Y todos entendieron que con ello se refería tanto a la duración no revelada de la visita de Andrés como al hecho de anunciar su nueva partida con naturalidad, sin dramas ni aspavientos, apenas un alejamiento transitorio, un viaje corto a Berlín para arreglar sus compromisos con la universidad y el viaje de su actual mujer alemana, con la que volvería definitivamente a Chile en cosa de días. Andrés tenía que entender que ésta era una cuestión vital para el viejo, y esos quince días debían disfrutarse sin que los temas amargos ensombrecieran su magnífica recuperación y el increíble reencuentro de la familia completa después de tantos años. Sí, así es, volvió a escuchar la voz de Sergio: lo más importante es que el viejo no sepa que te vas, después veremos la forma de decírselo.

Andrés pensaba que estos deseos de su familia eran la causa de la tensa simulación que oscureció aun más el reencuentro con su padre. Esta simulación ensombrecería la fiesta de esa noche y cuanto ocurriera en los días siguientes, e inevitablemente daría un tono sombrío a los rostros de todos los que asumieran roles en la representación.

Estaba contemplando, absorto, el puesto de pescados y mariscos mientras esperaba a que su hermano llenara las cajas con bebidas en el otro extremo del pasillo. Era previsible que en la primera visita a un supermercado la vista de un Ulises nostálgico y sibarita, procedente además del austero paraíso socialista, se clavara sin pudor en ese carnaval marítimo que reunía sobre el hielo acristalado la salobre exquisitez del océano: cholgas ocultas en el hermetismo de sus conchas; erizos exhibiendo lenguas de carnosidad lasciva desde el fondo de su caparazón guerrera; picorocos, esos imperfectos falos petrificados; choritos de impúdica pilosidad; albacoras que quieren ser ballenas; congrios como descomunales clítoris colgando sin drama de sus ganchos de fierro; pescados listos para la olla, ahorcados orgullosos de su relumbre. Perdido en esa contemplación, Andrés descubrió que sólo los peces pueden prolongar su belleza más allá de la muerte. Sí, ahí estaba de nuevo la muerte, esa loba, mirándolo esta vez desde la pescadería. Tal vez por eso evitó enfrentarse de golpe con los ojos llorosos de su hermano. Sentía que él también estaba a punto de quebrarse. Y la verdad es que la sola idea de abrazarlo allí, en medio de la gente, y llorar en su hombro por todos esos años y esas pérdidas, por el viejo que se les iba y la vieja más ida todavía, encerrada en su mutismo como en la hermética caparazón de esos mariscos que tenía ante sus ojos, sí, llorar por todo lo bueno que pudo pasar y no pasó nunca... Por eso, al sentir el aullido de la loba, la humedad en los ojos y la cerrazón de la garganta, se alejó dos o tres pasos, dio la espalda a su hermano y se quedó inmóvil frente a los pescados. Tenían razón: había que ocultar la inminencia de su nueva partida. Y reparó entonces en algo que recién le pareció evidente: esa vuelta a Berlín, esa lejanía definitiva, esa pérdida de todo lo suyo, era lo único que merecía el nombre de regreso.

5

Esa noche, mientras esperaba la llegada de Andrés, Julia estuvo revisando algunas carpetas que había traído en la víspera desde la Vicaría, no porque le agradara llevar esa cruz a su casa, sino porque se había comprometido a entregar el lunes por la mañana esos testimonios para el archivo. Una extraña ansiedad la llevó a la ducha cuando aún faltaba bastante para la hora convenida con su acompañante de esa noche. Decía siempre «mi acompañante de esta noche», y ese tono algo pecaminoso disfrazaba un hecho simple y brutal: ella era una de las tantas mujeres viudas, sin pareja, que se pasaban los días en los tribunales, en las antesalas de las cárceles, en las parroquias, e incluso en casas (sus propias casas, o las de sus iguales, o las de sus protegidas) donde la tristeza y el abandono, pegados a cada cosa, hacían patente la ausencia de alguien. Sí, Julia era una de *esas* viudas, pero en su caso se trataba además de una viudez que habría podido acreditar con documentos legales: su esposo no pertenecía al contingente de los desaparecidos, sino al de los fusilados. Sin embargo, como en el caso de los desaparecidos, también en éste, aun cuando se acreditaban el fusilamiento y la defunción, se desconocía el lugar de la sepultura, si puede llamarse sepultura al punto ya olvidado del desierto donde el cadáver fue escondido. Una forma de soportar el dolor, tal vez una forma de llevarlo con orgullo como una señal en la frente, era subrayarlo con ese toque de irreverencia que la hacía decir «mi acompañante de esta noche» mientras se maquillaba frente al espejo. Pero esta vez lo decía con un hilo de voz, calladita, para ella sola, y también con un tono de picardía que insinuaba una esperanza.

Su ansiedad —un estado de ánimo frecuente en ella—, y también la puntualidad a toda prueba que le suponía a su «acompañante de esta noche», puntualidad fraguada en horarios nevados y con anfitrionas más drásticas que su amiga santiaguina, la llevaron a estar totalmente lista una hora antes de lo acordado con Andrés en la víspera. Se dijo entonces que sería bueno aprovechar esa horita ordenando los testimonios, así es que dispuso las carpetas sobre la mesa del comedor para releerlos, ponerles un título e inventarles un orden.

La exaltación que dominó a Julia todo el día, y que explicaba su sueño poblado de imágenes amenazantes, pero también de sensaciones placenteras cuando estiraba sus piernas hasta alcanzar la zona fría de las sábanas, se fue aplacando ante la inminente llegada de Andrés, y luego con su presencia en la puerta de su casa, entregándole las flores, encendiendo el primero de los muchos cigarrillos de esa noche, infligiéndole las consabidas anécdotas de los exiliados ya en el segundo pisco *sour,* reiteradas durante el viaje hacia la casa de Cecilia, la nueva casa de su amiga, ésa que había sido la vieja casa de Andrés. ¿Por qué la visitaba por tercera vez, y ahora la noche de un sábado para ir juntos a una fiesta? Él mismo le había contado su encuentro con Sonia, en el que Julia quería ver sólo una recaída nostálgica de Andrés en un lugar ya ocupado por otro. Mal que mal, Julián estaba allí desde hacía diez años, y había dos hijos, y todo lo que eso puede significar en vida compartida, compromiso e incluso compasión. No podía dejar de pensar que era la tercera vez que se encontraban esa semana, la tercera vez que Andrés llegaba a su casa, le entregaba una botella de coñac, un pañuelo de seda italiano, un ramo de flores, según la secuencia de regalos y visitas, según el orden del tiempo. Le pasaba luego su impermeable claro, un poco arrugado, antes de acercarse al sofá; le contaba historias divertidas: «elusivas», como pensaba ella más tarde, ya en el segundo whisky, después de la comida.

La primera vez fue de amanecida, al volver de la fiesta organizada para Andrés en casa de Lucía. «Cena danzante a beneficio de retornado», como la definió Julia en la llamada telefónica que le hizo para invitarlo y en que le dijo que Lucía, «ya muy marcada por su estilo bolche-clandesta-estaliniano, no distingue entre invitar a una pequeña fiesta y citar a una actividad partidaria, sobre todo si están en plena campaña de finanzas». Comentario que Julia repitió en medio de la risa general, en medio del baile de aquella noche, entre las pausas de la música que seguían un poco aburridas las cinco o seis parejas, de las cuales sólo Lucía, la anfitriona, y Diego, su amigo más reciente, lo eran de verdad; y luego entre las risas del baile, mirándose a los ojos por primera vez en esa forma, y luego sumando a la risa y la mirada esa mano que fue entibiándole la espalda, ocupada del baile, pegándose a la blusa, recorriendo su columna como un gesto casual, cariñoso, parte del movimiento de todo y de todos, y que luego quedó allí, fuerte, segura, haciendo una presión que se sumaba a la mirada, todo esto, claro, en el marco de ese chiste que duraba, de esa cena danzante en la que seguían girando y riendo, seducidos por algo más fuerte que las copas; todo esto, mano y abrazo, risa y beso, en el marco permisivo del baile, claro. Sólo pensable en el marco del baile y luego, ya en el sofá de Lucía, muy cerca las caras cuando encienden otro cigarrillo, y luego en el auto, y después en el sillón de su casa, amaneciendo, la mano fuerte en la cintura, otro cigarrillo, otro beso, otro trago, otra espera, nos vemos pasado mañana en el asado, la gran inauguración pues, mi lindo. ¿A qué hora te paso a buscar?, ¿a las ocho?, pregunta Andrés. Estás loco, esto no es un *Abendsbrot* berlinés, ¡hay que ver que te has puesto *tedesco!* Pásame a buscar a las diez, no vale la pena llegar antes, le dice llevándole los brazos al cuello, ya en el antejardín, y le pregunta: ¿es verdad que no hay nada con Sonia? Muy cerquita de la oreja, en otro tono, calladita, colorada, que no se te note, tonta, en otro tono que le hace temblar la voz y le instala ese brillo triste en los ojos mientras Andrés siente el golpe, algo le duele en alguna parte, es terrible esa vocecita quebrada y esos ojos brillando, pidiendo, esperando; es terrible pero también hermosa la suspensión del divertimento continuo, la caída de la máscara, ese protector del alma que hace imposible el encuentro del dolor constante de Julia con algún signo que delate la tristeza que ensombrece su mar de fondo.

Sí. En alguna parte a él le duele saber que también en ese mar está echando sus redes.

—El sábado. A las diez. Chao.

CAPÍTULO TRES

6

Andrés, el pobre Andrés, aquél de quien se habla desde muy temprano en conversaciones telefónicas acompañadas de café y tostadas y el primer cigarrillo del día. Andrés recién devuelto al paraíso perdido por una institución de sigla enigmática. Andrés aterrizado de golpe en ese mundo que había aprendido a reconocer como propio y que hoy siente el único territorio definitivamente extraño del planeta. Lo asusta a esta altura el tono confuso que han ido tomado las cosas, la promesa hecha a su hermano en el auto, camino a casa, aun antes del regreso al hogar; promesa tácita, porque recuerda muy bien no haber dicho esta boca es mía, y sin embargo está claro: no debe decir que este viaje es sólo por quince días, su padre no debe saberlo, podría ser fatal. Preocupado, más que sorprendido, por la forma en que se han ido manifestando las coincidencias, por muy gratas que sean: rumiando ya esa medrosa concertación de casualidades, su encuentro con Sonia en el mismo supermercado de entonces, de antes —esos breves eufemismos para no decir antes de *qué*, qué es *entonces*—. Sonia perdida entre los corredores atiborrados de mercadería, como recién saliendo del mar, del último verano... o del primer sol del verano que viene, la piel bronceada, su alba polera una segunda piel, el número telefónico de Sonia quemándole ahora el costado en que lo guarda. Rumiar también el sentido de esa cosa tan concreta y al mismo tiempo irreal que lo rodea, lo cerca, lo asfixia: la multitud de rostros herméticos avanzando por el Paseo Ahumada con la vista fija en el cielo sucio que forma un oscuro horizonte de *smog* allí donde la cuadra parece cerrarse para el grito; recorre el paseo, rumia el paseo, rumia ese cuento que se ha prometido escribir un día y que lo aguarda en algún rincón de ese gentío, en esa calle gris. El cuento estaba allí, mucho más violentamente que todo lo que podía imaginar. Antes, claro, mucho antes de que aparecieran los cuchillos.

Los cuchillos...
...ésos que siguen cayendo todavía,
sin aquietarse nunca,
girando sus puntas brillantes
desde el suelo, pero siempre
cayendo, porque siguen cayendo,
¿dejarán de caer en su memoria
esos cuchillos?

Antes de esa noche, cuando el filo aún no entraba en su herida, Andrés ya había caminado por Ahumada rumiando la trama de su cuento. ¿Cómo no contar una de las historias que suceden en la promiscuidad del Paseo? ¿Cómo no meter la mano allí para tomar por las orejas una de esas historias, aunque patalee colgando de su puño? Andrés recorría el paseo en esa búsqueda, admirando la multiplicación de mercaderías como brotadas del suelo, esa multitud de rostros abatidos, y paseaba su oído escuchando la caótica oferta de objetos inútiles.

Lo que nunca imaginó es que iba a ser una

historia de muerte. ¿Pero era tan difícil predecirlo? ¿No andaba rondando la loba por ahí, escondida apenas entre los lumazos? ¿No lengüeteaba su veneno en la cabeza del herido? ¿Acaso no la presentía la estudiante pateada en el pasillo de la micro verde? ¿No se adivinaba ya su filo, fatal como un cuchillo?

Se cansó de perseguir esa historia que lo superaba. Renunció a seguir recorriendo el Paseo.

Esa noche Andrés había pasado por la casa de sus padres —su casa en estos días— para descansar un momento y ponerse una ropa más abrigada. En Santiago —eso también lo había olvidado— se van juntas la tarde y la tibieza. Estaba precisamente vistiéndose, iba camino a la cocina en busca de la camisa blanca que Teresa le acababa de planchar, cuando se apagaron todas la luces. La instantánea oscuridad paraliza y se parece al miedo. Desde la pieza de sus padres oyó un murmullo asordinado, un rumor de ropas, el cuidadoso movimiento de un cuerpo en una cama. Él mismo se había quedado inmóvil, el gancho colgando de su mano caída y la camisa, una invisible bandera blanca de rendición, también caída. Después de un rato se acercó inseguro, esperando que sus piernas palparan el borde de la mesa de centro, hasta llegar así, moviéndose dentro de la parálisis, a la mesa esquinera en cuyo cajón la madre guardaba las velas, los fósforos, una linterna, una radio a baterías. Objetos tranquilos que ahora formaban parte de una rutina inquietante y que había terminado por parecerles normal: cada semana un apagón, todos los días una violencia nueva, a cada hora la posibilidad del miedo.

Su mano fue palpando los objetos que traerían la luz. Dejó la camisa sobre el sillón, pasó sus dedos por la áspera longitud de la vela y rescató también los fósforos desde su propia penumbra. Tomó la vela y con dificultad encendió una cerilla. La llama declinante que siguió al resplandor le devolvió una tristeza de paredes amarillentas, sucias de sombras y de silencio, como si esas sombras y ese silencio hubiesen sido la realidad más patente en los doce años que duró su ausencia: la paulatina pobreza, la inevitable vejez, la enfermedad sin remedio. Ahora llegaban de la pieza de sus padres unas toses tan apagadas como las frases dichas en sordina.

En la radio a baterías escuchó que en ese momento ocurrían incidentes en el Paseo Ahumada.

La total oscuridad —esa noche unánime de Borges— no había desanimado, sin embargo, a los bandos que combatían. Según la voz metálica que parecía salir de la mínima luz de la pequeña radio, en la penumbra de la calle la batalla se había encendido como una llamarada. Carreras ciegas, golpes que adivinaban la espalda del otro, un grito, el ruido seco de un disparo. Luego la gresca también se fue apagando.

Cuando volvió la claridad a la casa y reapareció en las ventanas el océano de luces, el locutor informó que durante los incidentes, en medio del apagón, un carabinero había sido apuñalado por la espalda.

Andaba por ahí la loba entonces,
paseando su guadaña en el Paseo.
¿Alguien oyó su grito
en medio de esa noche doble?
¿Se preparó desde la luz el cuchillo,
presintiendo a su oscuro cómplice?
¿Quién vio la sangre?
¿El rojo vivo oculto en la negrura?

Se sintió súbitamente cansado. Le dolía el cuello, estaba tenso, no quería salir a la calle, temió un nuevo apagón que lo paralizara a la intemperie. Volvió a la cocina, sacó una cerveza del refrigerador y puso el gancho con la camisa en la misma percha de donde lo había tomado. Apagó la luz del estar y pasó en silencio frente a la pieza de sus padres. Ya no se oían sus voces apagadas, pero sí un murmullo de ropas y gemidos, algunas toses roncas y el espiral ascendente de una respiración agitada. Entró a su pieza con la esperanza de poder dormir apenas apagara la luz.

Durmió sobresaltado y de amanecida volvió al Paseo en un nuevo intento de penetrar sus esquivos misterios.

Vio a los niños disputándose el abundante final de los desperdicios, y el comienzo del día en el tranco acelerado de los oficinistas. Vio levantarse las cortinas metálicas de las tiendas como un último bostezo; vio llegar a la limosnera con sus críos, y a los que nunca salen de su noche: los ciegos de verdad y de mentira,

los mudos que tocan guitarras
los guitarristas que piden limosna
los limosneros que portan anuncios
los anunciadores que gritan productos
los productores cesantes
engañando sus manos inútiles
los inútiles traficando divisas
los traficantes tomando café
las sonrisas recibiendo propinas...

De pronto cambió de color ese tramo del Paseo. Venía de verde la amenaza, avasallando como un látigo.

Los uniformes se multiplicaron y fueron múltiples también la desbandada y el disimulo de quienes escondían sus mercaderías en paquetes armados de golpe con el mismo papel que les servía de vitrina. Desaparecían tras los quioscos, metiéndose el envoltorio entre las faldas o cubriéndolo con el cuerpo contra las paredes de los pasajes, en el confuso transcurrir de ese remedo de guerrilla que dura de la mañana a la noche.

Los sorprendidos en el disimulo o en la fuga sufrieron una nueva derrota en esta guerra perdida de antemano. Quedaban esparcidos por el suelo los modestos tesoros del mercado prohibido.

Andrés corrió hacia el interior de un edificio y, al comprobar que el despliegue verde se había adueñado de la calle, entró en el ascensor. Ya se cerraba la puerta cuando se coló un hombre flaquísimo que apenas sostenía su paquete clandestino. Andrés reconoció el tosco papel de esas vitrinas ambulantes. El rostro del hombre estaba pálido, parecía una continuación de su camisa. Empezaron a subir. El hombre seguía palideciendo y el sudor lo empapaba. A ambos les pareció interminable la subida. El hombre miraba a Andrés desde el fondo de su miedo. Ya al final sus brazos cedieron y cayó lento el paquete. Se abrió el papel y entonces brillaron los cuchillos. Ahí cruzó por su conciencia esa especie de relámpago: a través de su fulgor Andrés vio dos ojos pequeños, asustados, todo el odio imaginable concentrado en dos pupilas; recordó con un dolor antiguo otra palidez, la nieve larga de su exilio, mientras seguían cayendo esos largos, afilados cuchillos.

CAPÍTULO CUATRO

7

Faltando poco para la mudanza y la celebración, Manuel insinuó que sería mejor no insistirle demasiado a don Jovino, no llamarlo para recordarle lo del asado, quiero decir, y Cecilia, con ese tono entre resignado y molesto que se había ido fijando con los años y la recurrencia, le aseguró cortante: mi papá aceptó por compromiso, pero ni soñar con que vaya.

—Yo digo para evitar las tensiones, nada más —replicó Manuel sin ganas y se fue a la cocina, esa manera también aprendida de eludir las conversaciones nocturnas que pudieran decaer en disputas.

Cecilia en el dormitorio, la luz ya apagada para representar en plenitud la comedia del sueño, Manuel entrando en el segundo vaso de vino, esa búsqueda de otra plenitud artificiosa, compartían sin saberlo una misma pregunta: ¿qué papel ha jugado mi padre/mi suegro en nuestro matrimonio? ¿Cómo influyó don Jovino en la vida de su hija única, tan distinta a su padre pero a veces tan cercana?, se preguntaba Manuel. ¿Y cómo afectó el viejo la vida de Manuel, a quien finalmente toleró sin acogerlo jamás?, era la pregunta de Cecilia. ¿Qué incidencia tuvo en la crisis, y cuál era su papel en la precaria reconciliación de la pareja?

Para Manuel la palabra que mejor resumía la relación con su suegro era *inseguridad*, y si lo pensaba más, incluso algo muy parecido a una mezcla de capitulación y vergüenza. Para Cecilia, en cambio, todo cuanto la vinculara con su padre tenía que ver con «lo correcto». De todas las palabras que fue aprendiendo a rechazar, e incluso odiar, ninguna llegó a ser tan detestable como *corrección*. Lo correcto era ver las cosas de una determinada manera, siempre en la forma establecida por él. No es correcto que pienses tal cosa, sería incorrecto que hicieras tal otra. El viejo, y no su madre, le había enseñado a corregir las tareas, y se las estuvo corrigiendo durante toda su vida. ¿No había sido su existencia un cuaderno escolar lleno de borrones, palabras mal escritas y cálculos desafortunados que él estuvo corrigiendo durante treinta y cinco años?

Desde niña Cecilia aprendió que el gesto básico del corrector hacia el corregido era el ejercicio de un altivo desprecio. Llegó a pensar que la corrección puede ser lo opuesto a un acto de bondad. Se rectifica para demostrar superioridad y ejercer un poder, pues el correctivo coloca al equivocado en el lugar que le corresponde y del cual ya no lo saca la enmienda, pues la función de ésta es hundirlo aun más en la falta cometida, perfilar con la evidencia de ese nuevo desacierto su condición defectuosa, imperfecta, inferior. A fin de cuentas, culpable.

Esto pensaba Cecilia a punto de transitar desde el fingido sueño a la realidad también mentirosa que se iba conformando con voces e imágenes de tiempos remotos, reminiscencias amenazantes que la rondaban como fantasmas decrépitos cuya misión era hacerla caer en el pozo, empujarla al letargo pesado, inquieto, poblado por las imágenes recurrentes de sus pesadillas.

Y a pocos pasos de la cama y del sueño intranquilo de Cecilia, otra copa le daba ahora a Manuel el valor para reconocer que don Jovino nunca lo había aceptado realmente; para atreverse a pensar que, desde la mirada del viejo, él era el único error que Cecilia no había logrado corregir a tiempo. ¿Prueba de amor, tal vez, que Cecilia haya resistido con tanta voluntad la oposición no menos testaruda de su padre? ¿O prueba de desamor? Piensa entonces que Cecilia, tal vez para no reconocer su error, retardó mucho más de lo conveniente una corrección que se había hecho necesaria, y que seguramente también ella sintió como una necesidad prácticamente desde el comienzo del matrimonio. Sí, ésta podía ser una causa de la prolongada languidez de la relación. Y una prueba del desamor y el cálculo de Cecilia, consciente de que ésa sería la corrección más decisiva de su vida y también la más peligrosa: la que intentaría su padre no sólo *con* ella, sino *en* ella. Ésa habría sido —pensaba Manuel— la confesión, por parte de Cecilia, de su culpa mayor, y con ello la aceptación de su definitiva derrota frente al viejo. ¿No era este empecinarse en el error, esta resistencia suicida, la causa más directa de las actuales penurias de la pareja? ¿No era esta suerte de venganza contra el viejo el origen de toda la amargura acumulada durante esos años?

Cecilia, ya al borde del sueño, y Manuel en el otro borde, el de las copas, olvidan los hechos circunstanciales, los detalles, las manifestaciones puntuales de desprecio con que el viejo fue cercándolos, separándolos de él y separándolos a ellos mismos, mediante un laberinto de vacío y simulación. Empiezan entonces a ver todo ese confuso pasado con una sola tonalidad, una grisura sin aristas, sin forma, áspera como la materia de un muro.

Esa larga rutina de desencuentros entre el viejo y la pareja apenas se aligeró al enviudar don Jovino, cuando la muerte de la madre de Cecilia hizo pensar a todos (incluso a don Jovino) que pasado el luto las cosas serían distintas, porque en la vida de todos ellos había un antes de esa muerte y un después, tan incierto como deseado. Sabían que con la viudez del viejo la vida de todos ellos iba por fin a cambiar; nadie sabía, sin embargo, en qué sentido.

Cecilia intuía que la legitimidad de la corrección estaba dada más por el poder del corrector que por la conveniencia misma de la enmienda. Y sabía incluso —llegó a saberlo con los años y con la creciente prosperidad de su padre— que el elemento que confería ese poder era el dinero. Sin él, hubiese sido imposible el desborde de aquella pasión correctiva. Por eso, cuando el dinero resultó inútil y ninguna suma pudo evitar la muerte de doña Leonor, Cecilia presintió que se hallaba en el umbral de un cambio que afectaría positivamente su vida, terminando para siempre con el juego de error y reparación, de falta y arrepentimiento. La muerte de su madre —la dolorosa viudez del viejo, la primera manifestación de los límites de su poder— fue la última página de ese cuaderno de tareas escolares que estuvo sometido a las observaciones de don Jovino hasta el día —el mismo día— en que doña Leonor fue enterrada y ella cumplió veinticinco años. El cuaderno estaba por fin en la basura. Empezaría a escribir otro, una nueva vida en que los cambios y las rectificaciones no serían sino una manifestación de sus deseos y de su libertad. Sí. Eso es. Hay que empezar, pensó aquella noche cuando comenzaba a dormirse —esa otra noche, la que siguió al funeral—. ¿Empezar? ¿Esto será de nuevo empezar?, se pregunta ahora pensando en Manuel y en los últimos arreglos de la casa nueva; se lo pregunta pensando también en su padre, y entonces otra vuelta en la cama, se desvela, hay que dar vuelta la almohada caliente, buscar con el pie el rincón más frío de las sábanas.

Manuel dejó de ser para don Jovino ese flacuchento que venía a preparar con su hija las pruebas de filosofía cuando advirtió que, poco a poco, el muchacho se había ido quedando. En vísperas de los exámenes se quedaba a tomar el té en la terraza que daba a la piscina; y durante los meses más fríos del otoño, el té en la pieza de la niña, lo que acentuaba la inquietud —y las molestias— de doña Leonor, postrada en la pieza vecina; y en pleno invierno, el té ya en el comedor de la casa, preámbulo de la primera comida formal a comienzos de la primavera, anticipo de la primera fiesta familiar de ese segundo verano, porque no sé con quién voy a ir, me carga ir sola, papá; y esa primera fiesta de matrimonio que alertó al viejo cuando a las manos de su hija vino a dar el ramo lanzado por la novia: no vaya a ser que un día de éstos tengamos un casorio con este tipo vestido de frac para la boda. Luego vino un tiempo largo en que ni él ni ella se vieron por la casa: había unas fiestecitas por ahí, unas reuniones de no se sabía qué —pero de a poco se fue sabiendo—, funciones de teatro y de cine-arte, exposiciones de fotografía, asambleas de la Federación de Estudiantes, una que otra noticia en el telediario que ellos, arrinconados en la biblioteca, miraban con súbito interés e inexplicable silencio. Y más tarde, al final de esta historia, el pleno cumplimiento de la premonición que había abrumado a don Jovino dos años atrás: el flacuchento Manuel con traje de novio en su propia casa. Un frac que el viejo le regaló, porque le habría parecido lo último que su yerno se casara con prendas arrendadas. Todos —y en ese entonces también doña Leonor, decidida simpatizante de la alianza— se dieron cuenta de la prolongada, inadvertida e involuntaria suspensión de sus afanes correctivos que había atacado a don Jovino como una especie de parálisis. Al parecer las cosas fueron ocurriendo por las orillas, bordeando peligrosamente los márgenes, dibujando un curso clandestino. Así eludieron ese imaginario cuaderno de escuela que recogía los errores de Cecilia, sin que esta vez ella fuera objeto de censura alguna, para llegar por fin a la formalización del compromiso y a la boda, burlando la cada vez más débil oposición de don Jovino.

Su voluntad correctiva, sin embargo, recrudeció cuando la alianza que él hubiese querido evitar estuvo consumada. Si casi todos los rasgos del yerno le molestaban, podía emprender la tarea de cambiarlos, ejerciendo su pasión correctora de manera indirecta. Como ya no podía alterar la decisión de su hija, se dedicó a modificar minuciosamente las características del yerno. Las rencillas que antecedieron al compromiso formal de matrimonio se referían a la condición pobretona del flacuchento, la que según el buen juicio de todos —no sólo del viejo— se agravaría cuando comenzara a ejercer su estrafalaria profesión de filósofo en las salas de un liceo fiscal. Un mes antes de la boda, entonces, don Jovino le ofreció un puesto de redactor publicitario en una agencia de la cual su empresa inmobiliaria era uno de los clientes más importantes. Resuelto esto —a su juicio el problema principal—, se empeñó en vincularlo con institutos que se habían creado durante la dictadura precisamente para combatir lo que a don Jovino siempre le parecieron las ideas «foráneas» de su yerno. Luego, y más generosamente, se propuso asegurar las mínimas comodidades de la nueva pareja, entregándoles sin costo un departamento en el que vivieron todos esos años sin pagar un centavo, pero muy conscientes del origen de ese privilegio. Nunca firmaron un contrato de arrendamiento ni un documento de propiedad. Simplemente vivían allí y suponían que esa vivienda era propiedad del padre de Cecilia, o de la Inmobiliaria, o que alguien pagaba el arriendo mensual por expresa instrucción del viejo. De más está decir que en los meses anteriores a la boda ambos imaginaron cómo sería el departamento o la casa que deseaban habitar, en qué lugar de Santiago la soñaban y cómo serían incluso las calles y el barrio en que deseaban instalarse por un largo tiempo. En justicia, ellos reconocían que el viejo escuchó muchas veces estos deseos y que su decisión, finalmente, se acercó bastante a lo que espe raban los novios. Tomada ya una decisión acerca del trabajo del yerno y del departamento en que habrían de vivir, don Jovino se sintió más tranquilo y durante un tiempo abandonó su ocupación de corrector de esos males del mundo de los que nadie estaba libre y que habían entrado finalmente en su propia casa.

Don Jovino siempre intuyó que esta decisión de su hija sería la única instancia de su vida no sujeta a eventuales correcciones. Por eso —piensan Cecilia y Manuel ahora, doce años después, pasada la primera gran crisis de la pareja, o sumergidos más profundamente en ella— don Jovino no jugó todas las cartas en su intento por impedir o postergar la boda. En este terreno, lo que Manuel recuerda del viejo es ese tono de indiferencia provocadora que fue progresando hasta una suerte de fría cordialidad.

Cuando la fecha y el lugar de la boda estuvieron decididos, don Jovino ya había avanzado un trecho muy largo en su estrategia alternativa. La verdad es que había empezado a sembrar las semillas de esta estrategia mucho antes de que en su casa se oyera la primera palabra remotamente alusiva a un noviazgo: en vez de impedir la boda de su hija, en lugar de corregir esa decisión que parecía inamovible, optó por corregir al novio, limar cada una de las tímidas aristas de su personalidad para pulirlo. Cecilia recuerda, dándose vueltas y vueltas en su desvelo, esa expresión que oyó tan a menudo durante los primeros años de matrimonio: «A este muchacho hay que pulirlo». «Bien pulido será una piedra menos tosca.» «¿Ves que de a poco se deja pulir?» El viejo se había propuesto hacer de su yerno algo definitivamente distinto de lo que Manuel era. Quería fabricar un yerno a la medida de las necesidades de su hija. Y, por supuesto, fue él quien decidió cuál era esa medida y cuáles esas necesidades.

Para don Jovino —y según su estado de ánimo— podía tratarse de rectificaciones positivas o apenas de un leve pulimiento. Para la pendular interpretación de Manuel, se trataba a veces de la derrota definitiva y otras del razonable sometimiento a un poder que le permitía acceder, también a él, a una cuota delimitada de ese mismo poder. Para Cecilia, sin embargo, fue desde el primer momento la manifestación más grave de la intolerable manía correctiva de su padre. Una especie de carambola para terminar otra vez corrigiéndola a ella, de nuevo tachando y reescribiendo el borrador de una vida que nunca terminaba de estar en limpio.

Según la percepción de Cecilia, el primer cambio experimentado por Manuel fue el rápido abandono de sus más instintivas defensas, esa actitud de prevención y desconfianza hacia su futuro suegro que por más de dos años había constituido su reserva más sólida. Los pocos minutos que éste, whisky en mano junto a la chimenea del salón, lo escuchó hablar de la importancia de la filosofía, y otros tantos que un tiempo después le dedicó a solas en su biblioteca, donde hablaron de la profesión de Manuel y sus expectativas futuras, bastaron para derribar muros de contención que hasta entonces parecían construidos con materiales más resistentes. Luego de este interés por sus estudios de filosofía, o lo que Manuel interpretó erróneamente como interés, vino un par de ofrecimientos vagos, la conveniencia de obtener un posgrado en el extranjero, veremos si se puede hacer algo, y en otra ocasión la oferta de combinar la filosofía con alguna actividad más concreta y mejor remunerada, tal vez una gerencia que se abocara a la imagen corporativa de la Inmobiliaria, la publicidad, la presencia en los medios, algo pendiente hacía tiempo y que tarde o temprano debía ser abordado. Él podría hacerlo en pocas horas, y el resto del tiempo dedicarlo seriamente a la filosofía. ¿O pensaba pasarse la vida enseñando cuarenta y ocho horas a la semana para ganar la sexta parte de lo que podía recibir por una media jornada en su empresa?

Así es que no hubo al comienzo de la carrera cuarenta y ocho horas de clases, pero sí una subgerencia de imagen corporativa, algo muy impreciso —pensaba Manuel— pero cuya calculada vaguedad parecía no incomodar a don Jovino.

Cecilia, en cambio, nunca vio con buenos ojos estos ofrecimientos. La inquietó al principio la resistencia demasiado débil que Manuel oponía a las ofertas de su padre, y luego —mucho más— la franca seducción que ejercía en él, un joven pobre, la presencia por fin tangible y estimulante del dinero. Ya casados, no cupo duda de que los ingresos de Manuel permitían hacer frente a gastos que al comienzo del noviazgo jamás fueron considerados. Alhajar y mantener el departamento de Pedro de Valdivia —cuando ésta era la más importante avenida de un barrio residencial apetecido y tranquilo— costaba tres veces lo que alguna vez se anotó junto a la palabra *arriendo* en un cuaderno abierto para calcular y soñar. Cálculo y sueño, claro, se conjugan sin conflicto sólo en los primeros tramos de la ilusión, pero muy pronto los costos exceden la imaginación más tímida y el sueño es aplastado por las columnas donde se anotan las cifras y las realidades.

La subgerencia les permitió, entonces, instalarse cómodamente en ese departamento que durante los dos años iniciales pareció muy amplio y confortable, en una avenida arbolada y señorial, de sólida condición y sobria belleza. Pudieron también dar vuelo a otras fantasías. Manuel descubrió en sí mismo un interés por la fotografía que no había tenido posibilidades de manifestarse plenamente sino hasta ahora, cuando sí podía comprar cámaras y lentes sofisticados, fotómetros, angulares y *zooms,* trípodes y reflectores, y pensó que ese interés largamente oculto escondía también una vocación, e incluso un talento.

Pero también Cecilia se benefició de la subgerencia. Y aunque este beneficio era más indirecto, no resultaba por eso menos tangible. Pronto las horas que Manuel dedicaba a la Inmobiliaria excedieron las estipuladas por la empresa a la firma del contrato, y las pocas que le quedaron libres prefirió dedicarlas a su pasión emergente y no a la filosofía. Mientras Manuel montaba un completísimo estudio fotográfico en la pieza destinada a los niños que aún no llegaban, la sala de estar y el dormitorio se atiborraron con los libros de Cecilia, que consumían sumas sólo cancelables gracias a los ingresos provenientes de la subgerencia. Cecilia obtuvo primero una ayudantía en la cátedra de Introducción a la Filosofía y luego otra en Antigua; dos años después, el cargo de profesora titular de media jornada, estímulo suficiente para dedicar a esa pasión su tiempo completo. Comenzó a participar regularmente en los seminarios de la facultad y en grupos de estudio que se reunían rotando en casas de distintos colegas. Empezó a frecuentar las pocas salas de teatro que siguieron funcionando después del golpe militar en compañía de sus nuevas amigas. Después de esa merienda que en Chile tiene nombre anfibio —las «onces-comida»—, se instalaba durante horas en el comedor con sus libros y cuadernos de notas, y una máquina de escribir que un día retiró de la oficina del viejo al comprobar que la secretaria ya había aprendido a usar la nueva Olivetti electrónica. Desinteresado de esa merienda de nombre ambiguo, Manuel se sumergía entre los lentes y las cámaras de su estudio fotográfico todo el tiempo que su mujer dedicaba a las perplejidades metafísicas. A menudo Cecilia lo veía salir del cuarto oscuro en que había transformado el baño de visitas, haciendo brillar entre sus dedos el papel fotográfico, mientras su entusiasmo de niño le instalaba en los ojos un fulgor semejante a esos destellos. Ella pensaba entonces que esa apacible convivencia que les permitía volcarse a sus pasiones particulares no sólo era una forma más madura de cercanía, sino además algo muy parecido a la felicidad.

Sin embargo, un virus demoledor —que ni Cecilia ni Manuel percibían— socavaba lo poco que ellos habían sido capaces de construir, dilatando en silencio esas fisuras que sus desaprensiones dejaron sin cerrar.

Viviendo todos esos años en el mismo departamento, durmiendo en la misma cama —probablemente soñando deseos parecidos—, Cecilia y Manuel se fueron distanciando día a día. Tal vez no sea ésta la expresión más feliz. No es que cada día la brecha se haya ido ensanchando sin remedio. Había, de hecho, momentos de cercanía, e incluso a veces, en esa cercanía, se recuperaban aquellos gestos de la entrega inicial, actos de amor con los que ambos sentían la entera plenitud del ser que un día habían amado. Esa sensación de reencuentro alegraba el tiempo que los conducía, sin que lo supieran pero inexorablemente, a la próxima crisis, como si una fuerza que se les imponía los llevara a explorar distancias más graves y nuevas diferencias.

Cecilia, desde niña herida en el ala por el fantasma de la corrección y la culpa, tenía ahora, en plena madurez, la certeza de que el origen de la ruptura que tardó diez años en manifestarse residía en ese cambio que mutiló la vida de Manuel, cada día más enredado en los negocios del viejo, cada vez más lejos del Manuel generoso, soñador y pobretón del que ella se enamoró en los días ya tan lejanos del Pedagógico. Entendía, claro está, que ese cambio —esa mutilación, pues así lo veía— era probablemente la piedra más pequeña, aunque la más cercana, de la montaña que se había derrumbado. Y cuando en medio de la crisis meditaba en sus causas —sorbiendo un café en Los Cisnes después de una clase, o en las nerviosas charlas en el departamento de Marcela—, no podía dejar de asociar la transformación sufrida por Manuel con todo eso que les había tocado vivir. Entendía al mismo tiempo que la conducta permisiva de su padre, sin la cual ella jamás hubiera podido imponer la boda, tenía mucho que ver con la atención exclusiva, casi maniática, que el viejo dedicó a sus negocios durante esos años críticos. Mientras las sesiones de estudio junto a la piscina o la chimenea fueron derivando en romance y noviazgo, las preocupaciones por el desastroso curso de su empresa le impedían al viejo dedicarse con la perseverancia habitual a sus afanes correctivos.

Y esta noche —para Cecilia, noche de insomnio y soledad, lejos del sueño y lejos también de Manuel, que en la cocina rumia su propia memoria en el fondo de la botella— le parecen inolvidables aquellos días en que las aguas se separaron y ocurrió el milagro contradictorio. Por una parte, todo favorecía lo que habían soñado. Y piensa no sólo en el matrimonio, sino también en esa inesperada convulsión que hizo posible realizar lo soñado. Sí, había sido esa bendita convulsión lo que obligó al viejo a dedicar todo su tiempo a planificar la salvaguarda de sus negocios. Apenas se lo veía en la casa, y a menudo aparecía en ella desde la pantalla del televisor —y entonces ellos suspendían su privacidad en el salón, o en lo que doña Leonor seguía llamando «la pieza de la niña», y agravaban ese silencio de besos y caricias para atender ahora a las palabras de un don Jovino adusto, muchas veces alterado, que lamentaba públicamente las medidas del gobierno y anunciaba una crisis terminal de todo el sistema productivo, «con las consecuencias nefastas que el país está apreciando». Para Cecilia —en su explicable e interesada ingenuidad—, el mismo terremoto que iba reduciendo a escombros el patrimonio de su familia demolía las barreras que habrían impedido su noviazgo con Manuel. En medio de la extrema beligerancia de esos días, un espacio de paz se abría, paradojalmente, en el hogar de uno de los portavoces de esa misma beligerancia, y les concedía tardes perfectamente tranquilas en la biblioteca, junto a la chimenea, bajo el follaje del palto. Tardes que se sumían en otra fiebre, en espasmos muy distintos de los que atormentaban a la ciudad convulsa. Escarceos amorosos que solían alarmar a doña Leonor, recluida en el dormitorio principal con una depresión atribuible a la extrema tensión de esos días, pero también a los gemidos de su hija que subían, sin contención alguna, desde la biblioteca... o a los primeros síntomas de su inminente enfermedad.

Cecilia sintió entonces que de pronto la realidad misma se había dividido, que tenía, como Jano, dos caras, y que todo resultaba definitivamente contradictorio. Los problemas que abrumaban a su padre permitían que su relación con Manuel fuera menos problemática; la incertidumbre que vivía el país hacía más segura y tranquila la relación de la pareja; las decisiones que a diario debía tomar el viejo para evitar la bancarrota hacían madurar un romance que don Jovino también hubiese querido evitar. Mientras más visible se hacía el caos, más amplia era la libertad que les permitía soñar con la boda.

Manuel en la cocina, a punto de abrir una segunda botella, y Cecilia en su cama, preparada para simular el sueño, no han dejado de pensar en el viejo. Tal vez porque lo sabe, Manuel no se sorprende cuando, al volver al dormitorio, la oye decirle con una voz que parece ya enteramente dormida:

—No lo invitemos, entonces.

Pero él, aliviado por la soledad y por el vino, cuidando apenas su lengua y ya muy lejos de todo eso, es todavía capaz de contradecir para acostarse en paz.

—Yo no dije que no lo invitáramos. Dije que no se lo recordaras. Pero tienes razón, hay que llamarlo. Sería mucho mejor que estuviera.

—No vale la pena. Aunque creo que se excusaría, es mejor que no lo llamemos —dice Cecilia, exagerando un último bostezo.

CAPÍTULO CINCO

8

Naufragando en el ocio del que llega a una ciudad donde no tiene nada que hacer, Andrés soportaba el vacío del día preparándose para los encuentros nocturnos, llamaba a sus amigos de antes, obtenía respuestas evasivas unas veces, y otras, tan calurosas que agotaban su agenda nocturna. En las mañanas dormía. Luego de almorzar con sus padres buscaba pretextos para quedarse en la casa, le agradaba estar con ellos, era mejor el aburrido descanso en ese ambiente de familia que vagar a la deriva en una ciudad hostil, ruidosa, plagada de gente mendicante y aires enrarecidos. Buscaba pretextos para cobijarse en esa casa tranquila, disfrutaba la paz del patio trasero fragante de naranjos, jugaba póquer con su padre intentando manipular unas cartas gastadísimas y se ofrecía a su madre como buen muchacho de los mandados, con lo que agitaba en la memoria de la vieja, y en la suya, el recuerdo de aquellos días remotos en que salía, refunfuñando, hacia el almacén de la esquina con el encargo del aceite, el pan, los cigarrillos del viejo, el detalle olvidado sin cuya reparación el almuerzo no sería lo mismo.

Entrando en el juego que estimulaba ese recuerdo, había tomado un canasto y colocado en él cuantas botellas de gaseosas y cervezas permitía su tamaño. Gritó hacia la pieza de sus padres que iba a comprar bebidas, sabía que aún no caían en el sueño de la siesta. Llegó hasta el supermercado silbando, pues el sol de esa tarde y la familiaridad del almuerzo lo habían alegrado. Recorrió con la calma del que tiene mucho tiempo esas estanterías que le parecían familiares porque descubría en ellas etiquetas y marcas que imaginaba olvidadas hacía tiempo. Creyó que todo sería rutinario y previsible, hasta que de pronto lo asaltó la más inesperada y entrañable presencia que este retorno podía regalarle.

Sonia era esa aparición emergiendo del gentío, enmarcada por las estanterías y los tarros, frascos de todos los tamaños y rótulos que coloreaban la abigarrada desmesura del almacén, su continuidad verde y simétrica. Era un recuerdo que venía desde otra zona de la vida, desde una remota existencia sumergida. Y ese ejercicio de la memoria lo llevaba a constatar que el tiempo parecía haberse disuelto en su intangible materia, y que en ese instante preciso, contemplando la silueta de Sonia, que aún no se percataba de su mirada, habían desaparecido súbitamente los últimos doce años. Al comienzo no la reconoció en la figura delgada y atractiva de la muchacha de *jeans* que capturó su interés de animal maduro, pero cuando ella se volvió, luego de poner en su carro dos paquetes de tallarines o algo parecido, fue como si un *zoom* le devolviera un rostro querido que se había ido desenfocando en la frágil memoria. Y era el mismo rostro coincidiendo con el enfoque ahora perfecto, recuperado esa tarde calurosa de octubre; de nuevo esa sonrisa, y los ojos negros, y la boca pequeñita, y esa cara de graciosa hormiga que recuperaba con un solo golpe de vista y de memoria.

¿Qué había pasado con el tiempo, entonces, si sólo su pelo era apenas algo más corto que en el sorpresivo recuerdo? La delicada imagen de Sonia coincidía ahora con la figura delgada, de pechos jóvenes, más llenos y siempre firmes, que daban esa comba perfecta a la polera blanca, una segunda piel ciñendo el primer bronceado del verano. Sintió entonces que, comparada con esa aparición en la total plenitud de lo presente, el material de la memoria era de una fragilidad que le causó un instantáneo pavor, un vacío al que caía esa oleada de imágenes que volvían desde la extraña muerte que es el olvido.

Recordó las últimas noches con Sonia antes de la desbandada. Y las tardes previas a esas noches, cuando la anhelada presencia de su alumna en algún asiento de la primera fila, o en los más confortables y bucólicos bancos de los amplios patios del Pedagógico, fue transformándose para él en una referencia obligada de la que dependían días más o menos gratos en medio de la agitación en que todo parecía sumido. Los martes por la tarde y los jueves en la mañana, al entrar en la sala de clases, sabía que en la primera fila estaría Sonia, su pelo largo cayendo distraídamente sobre el cuaderno o el libro abierto en el brazo de madera de la silla universitaria, colmado de insignias y siglas de partidos y movimientos. Las mismas consignas que inundaban las murallas, el pavimento, las tapas duras de los cuadernos, con argumentos tan duros como ellas, tan ásperos como la superficie de los muros, tan desafiantes como el rojo sangre gritando su lenguaje violento desde los adoquines. Sobre esas figuraciones talladas en el brazo de madera de su silla caía el pelo liso de Sonia, sus ojos se detenían en ellas, probablemente sin verlas: en esos minutos previos a la clase lo único que ocurría era la espera, ya va a llegar, ya está llena la sala, ya empezó la hora. ¿Y si no viene? Y él, caminando junto a los árboles que enmarcan el trayecto de pastelones desde la Biblioteca hasta el Departamento de Filosofía, sabe que ella estará en la sala, porque no la ve en los bancos junto a los árboles, seguro que ya está en la clase, como siempre, en la primera fila, leyendo el libro abierto sobre el brazo del asiento, recogiendo con un gesto rápido y tajante su pelo desde la madera, mirándolo fijamente con esos ojos negros que brillan como pequeños trozos de carbón a punto de enrojecer y hacerse fuego.

Pero una tarde no estuvo allí, en la puntual ubicación de la primera fila. Andrés inició su clase buscando recursos introductorios que sólo retardaban el inicio de la exposición. Más que hacer un preámbulo, hacía tiempo esperándola a ella. Había uno o dos asientos desocupados en la fila más cercana, ésa que ella prefería. Afuera el sol del invierno era más sol que nunca. ¿Qué interrumpía esa inquietante insensatez que se iba convirtiendo en un hábito? Tal vez los tizones ya encendidos de Sonia, animando con su mirada el fuego de otro incendio.

(Por esos días también el país parecía una casa ardiendo por los cuatro costados. Una casa a punto de derrumbarse sobre sus propias brasas. El fuego de las barricadas interrumpía caminos por los que ya sólo deambulaban marchantes desorientados vociferando consignas encendidas y amenazas feroces, desmentidas por el mismo armamento que portaban: unas escobas, patéticas ante la provocadora desmesura de los alardes militares; gestos todos que parecían la risible copia de otra copia, gestos que habrían sido risibles si no hubiesen estado ya al borde del desastre.)

Andrés aguardó esa tarde la llegada de Sonia con esa esperanza herida que va decayendo rápidamente en la desesperación. Intuía que su ausencia era el comienzo de un vacío que iba a persistir y que alteraba una costumbre a la que se había habituado demasiado ingenuamente, porque en aquellos días eran más probables los cambios inesperados que las reiteraciones. Y, efectivamente, la silla vacía de ese jueves soleado de invierno se repitió el martes por la mañana, y otra vez el jueves siguiente por la tarde, aunque en esa ocasión con un prólogo odioso: en el momento en que él llegaba a la clase luego de tomar un café en el casino, divisó a Sonia caminando rápidamente por el sendero de pastelones hacia la Biblioteca. Ella no lo vio. Pero él sí la vio acercarse a uno de los bancos, y vio también a un estudiante con parka azul que la estaba esperando, se puso de pie y se fue caminando con ella hacia la salida de Avenida Grecia. ¡No era una enfermedad la causa de su ausencia! Al entrar a la sala descubrió que durante las últimas semanas sólo le había estado hablando a ella, y que el resto de la clase no pasaba de ser un coro, ignorante de ese dúo de tensiones subterráneas y miradas intensas. Vio de nuevo un par de sillas vacías en la primera fila y, luego de carraspear, les pidió a los sentados al fondo que por favor las ocuparan, él apenas podía hablar, estaba afónico. El capítulo estaba cerrado. Había tanta cosa inquietante por esos días, sería más fácil dar vuelta la página y terminar de una vez al menos con esa ansiedad.

Mientras ordenaba sus apuntes, y luego de advertir una citación en su carpeta, se acordó de que a la noche siguiente tenía que cumplir con su turno en la guardia. Debía dormir en la facultad, en una de esas vigilias destinadas a impedir tanto una toma por parte de los grupos más exaltados de la izquierda como un allanamiento militar en busca de armas. Guardó la citación en el bolsillo luego de doblarla y calculó que aún tenía tiempo de inventar una excusa. Estaba resfriado, las noches de Macul eran heladísimas y el ánimo no estaba para gestos patrióticos.

Sin embargo, a la mañana siguiente dilató la presentación de las excusas y durante la tarde decidió que ya no era serio eludir el compromiso. Llegó a la guardia cerca de las diez de la noche, cuando Macul parecía una boca de lobo preparando el tarascón. Caminando por Irarrázaval hacia el Pedagógico escuchó, a lo lejos, un ruido de cacerolas que luego se fue acercando. Así era siempre. El ruido, que se extendía finalmente por toda la ciudad, quizás por el país entero, empezaba con un lejano runruneo metálico, un ritmo con cadencia monótona que crecía a medida que nuevas manos acudían al llamado de los primeros manifestantes. Las cacerolas se tocaban al comienzo con un cucharón de madera, de modo que el objeto de la protesta coincidía con la metáfora que la expresaba: las ollas están vacías; hay hambre; el cucharón ya no tiene nada que raspar en el fondo de la cacerola. Luego, sin embargo, a esa dupla emblemática se sumaron distintos objetos ruidosos, buscándose en este caso que el ruido resultara más insoportable, pues así no sólo se incrementaba la protesta, sino también la molestia de quienes no adherían a ella. Se recurría a sartenes, se golpeaba las barandas metálicas de los balcones con fierros o se daba de sartenazos a esas mismas barandas; se golpeaban los baldes con martillos o con piedras; todo lo que acrecentara la sensación de caos y de intolerable sonajera, todo lo que infligiera una sensación de derrota al vecino que no protestaba, era bienvenido a la hora de las cacerolas. El bullicio coordinado alcanzaba su apogeo a los veinte minutos y decrecía de pronto, quedando en el aire una sensación de rabia, de frustración, de odio, y también, en los días finales, de miedo.

Cuando Andrés entró a la sala de profesores el ruido estaba por alcanzar su intensidad mayor. Había ya algunas colchonetas amontonadas junto a la chimenea y unas cuantas frazadas puestas ordenadamente sobre la gran mesa de caoba. Aunque rara vez se dormía, los encargados de la seguridad se daban maña para tener no sólo algo que beber y comer, sino también esa logística un poco desmedida, pues quienes preferían el sueño no llegaban hasta el Pedagógico a cumplir con la consigna.

En la semipenumbra del recinto distinguió a dos colegas que preparaban unos panes con mortadela en la parte de la mesa libre de frazadas. Ya iba a sacarse el impermeable cuando pensó que sería mejor fumar un cigarrillo en el patio, a pesar del ruido de las cacerolas. Avanzó entonces por el sendero principal mirando el cielo algo brumoso que, aun así, permitía ver unas estrellas que también parecían titilar al ritmo de las cacerolas. Caminó hasta el casino, que se veía atestado de muchachos preparando las actividades de esa noche: no sólo había que cumplir el plan logístico que ya había visto en la sala de profesores, sino también, en el caso de los estudiantes, organizar actividades que mantuvieran los ojos abiertos y el alma entusiasmada durante la noche entera. Fogatas, canciones, breves representaciones teatrales, foros, arengas, informaciones recogidas en la radio del centro de alumnos con los últimos boletines o extras que anunciaban allanamientos por aquí y por allá, movimientos extraños, rumores de un acuartelamiento de tropas en el norte, maniobras sospechosas de la Armada frente a Valparaíso. Se alejó del lugar para no ser visto, pues a los estudiantes les gustaba invitar a sus maestros a estas veladas nocturnas que habían terminado siendo cotidianas y mucho más importantes que las disminuidas y menos heroicas lecciones diurnas. Caminó entonces hacia la sección de Filosofía y cuando estaba dando la última pitada a su cigarrillo vio, sentada en el banco más próximo a la construcción cubierta de enredaderas, a una sombra reconocible de inmediato. Le saltó el corazón. A pesar de la penumbra aneblinada reconoció la silueta confusa, levemente inclinada hacia adelante para que su largo pelo liso cayera sobre el brazo imaginario de una silla que allí no era posible, aunque allí mismo, esa noche, estaba ocurriendo un milagro mayor: la aparición de Sonia envuelta y protegida por su propia sombra, por esa luz negra que resumía en sus líneas más puras ese cuerpo que él reconocía, ese gesto que extrañaba, esa presencia que se hizo desesperadamente deseable, y esa ausencia enorme y dolorosa de los días recientes.

Se detuvo junto a un árbol, a varios pasos del banco donde Sonia seguía tan inmóvil como una escultura de sí misma, o como si estuviera posando para un Andrés que no se atrevía a moldear quién sabe qué extraña materia para recrearla.

—¿Sonia? —preguntó en voz baja, sin moverse del lugar, temiendo que cualquier cercanía rompiera la magia y sacara a la muchacha de su reconcentrada inmovilidad.

—Hola —dijo Sonia en un tono jovial que contradecía su quietud solemne.

—¿También tienes guardia? —preguntó Andrés.

La barahúnda de las cacerolas había decrecido, perdiéndose en una distante cadencia monótona. El silencio entonces se fue poblando de presencias cercanas. Ambos podían ahora percibir el débil y acompasado susurro del rocío goteando desde el follaje.

—No. No tengo.

—¿Qué estás haciendo?

Sonia giró de golpe su rostro para mirar fijo a la silueta oscura que le hablaba desde la cercanía del árbol.

—Te estaba esperando —dijo antes de dar rienda suelta a la carcajada.

9

Doce años después, en la víspera del reencuentro con Andrés, Sonia vivió un sobresalto que le recordó la noche en que se había sentado en un banco del Pedagógico, segura de que él iba a llegar hasta allí —había averiguado la fecha de su guardia—, llevado probablemente por la intuición de que sus pasos erráticos en esa noche neblinosa estaban asociados a una búsqueda, estaban relacionados con lo único que buscaba en el último tiempo, seguían vinculados a ella, y finalmente lo llevarían donde ella había decidido esperarlo. Doce años después, la vivencia de otra noche neblinosa —otros árboles llorando su rocío en las veredas y otra sombra detenida junto a un árbol— la encerró de golpe en el recuerdo y el miedo.

Todo empezó con ese bulto oscuro que agravaba la sombra del árbol. Allí estaba esa mancha, el sobresalto, la intuición del peligro, aunque ahora sin una carcajada para ocultarse. Había terminado hacía pocos minutos la reunión bimestral de padres y apoderados; contestó algunas consultas de poca importancia, dejó el libro de clases en la sala de profesores y se dirigió a la puerta de salida evitando acercarse a dos mamás que la adelantaban algunos metros. No tenía a esas alturas, después de las ocho clases de los jueves y esa aburridísima reunión de apoderados, deseos de hablar una sola palabra más con nadie. Sin embargo, ya en la calle, avanzando insegura sobre la vereda oscurecida por el frondoso follaje, al ver esa sombra semioculta en la oscuridad que prolongaba el árbol, pensó instantáneamente que había sido un error salir sola del liceo y pretender llegar hasta su citroneta, estacionada a una cuadra de allí, sin la compañía fácil y natural de las dos mujeres que ya no la adelantaban pues habían subido a sus autos.

Fue entonces que el bulto se le acercó, desprendiéndose con lentitud de la sombra que lo ocultaba. Sonia presintió que ese hombre también estaba inseguro. En lugar de seguir avanzando hacia ella, la esperaba ahora en medio de la vereda para abordarla. Había lanzado lejos la colilla de su cigarrillo, y la parábola de esa mínima luz le devolvió a Sonia la confianza.

—Buenas noches. ¿Me está esperando? —Sonia afirmó su voz, endureciéndola.

—Estaba en la reunión.

—¿Sí?

—Soy el padre de Angélica.

—Buenas noches.

—Quiero hablar con usted.

—Venga mañana. Estoy todo el día en el liceo.

—¿No puede ser ahora? Es urgente.

—Dígame.

—No es fácil para mí.

—Dígame. Tengo a los niños solos en mi casa.

—Bueno... usted nos habló de la confianza... y vea... hay un problema con mi hija.

—¿Sí?

—¿Podemos hablar en otro lugar? ¿Puedo invitarla a un café?

—No tengo tiempo. Dígame de qué se trata.

—¿Usted ubica a mi hija?

—¿Cómo se llama?

—Angélica Salas.

—¿Y usted es el padre de Angélica?

—Sí, señorita.

—Bueno. Dígame.

El hombre guardó silencio. Sonia sabía que estaba buscando la forma amable de decir algo que a ella no le agradaría, y de nuevo sintió que el ala del miedo la rozaba. Pensó que sus hijos estaban esperándola, y que era peligroso seguir con ese hombre ahí, en esa boca de lobo.

—Bueno. Si quiere hablamos mañana. Ya le dije que estoy aquí todo el día.

—Es que le prometí hablar hoy mismo con usted.

—Lo escucho.

—Angélica es una niña muy buena. Yo no sé si usted...

—Lo sé. Es muy buena alumna.

—Ella no quisiera dejar este liceo por nada del mundo. Además, le falta tan poquito.

—No veo por qué tendría que dejarlo.

El hombre calló, miró un punto indistinto en la única claridad borrosa por la neblina, y Sonia vio que ahora los ojos del hombre brillaban, reflejando la débil luz del farol.

—Porque está embarazada —dijo después de tragar saliva.

—Le ruego que venga mañana. Estoy aquí todo el día. Venga cuando quiera. Ahora no tengo tiempo para algo tan importante.

—Mañana no estoy en Santiago. Trabajo en Ferrocarriles. A esta hora mañana voy a estar en Valdivia.

—Que venga su madre, entonces.

—Es que ella no sabe.

—¿Su esposa no sabe que Angélica está embarazada?

—No, no sabe. Y no queremos que lo sepa todavía.

—Bueno, mire, hay un café ahí en la esquina. Me estoy helando.

El café era una fuente de soda tristona, con piso de baldosas, tan fría como la calle y con un ruido molesto que llegaba desde un enorme refrigerador ubicado junto a la caja. La muchacha que les sirvió las dos tazas humeantes miró a Sonia con un dejo de complicidad. Se conocían, pues Sonia venía a menudo con otras colegas a tomar un café en alguno de los recreos; era la primera vez que la veía con un hombre. Era extraña esa forma cuidada y cómplice de la conversación, ese aire de estar tomando una decisión difícil y definitiva. Se quedó mirándolos con disimulo desde su puesto tras el mostrador.

—Créame que lo siento —empezó diciendo Sonia, confundida—. No digo que no pase, pero no me lo hubiera imaginado de Angélica. No quiere decir que la esté condenando. Aunque me irrita que estas chicas sean tan cabeza de pollo, tan poco maduras, tan... irresponsables con su propia vida, eso es lo que quiero decir.

—Igual tenemos que hacer algo. Ella sola no puede. Y tiene mucha confianza en usted.

—¿Y por qué no me lo dijo ella misma?

—Yo le pedí que me dejara hacerlo a mí. Ella está demasiado abrumada. Está destruida. Ese certificado que le entregué en la reunión lo conseguimos con un médico que nos conoce.

Sonia buscó entre los papeles que llevaba en

su carpeta y sacó el certificado. Lo leyó con detención, tal vez para evitar los ojos del hombre. Luego de tomar un sorbo de café, dijo como si fuera un simple comentario:

—Úlcera duodenal. Quince días.

Y como el hombre guardaba silencio sin dejar de mirarla, sin prestar siquiera atención a la taza, le preguntó de golpe, en un tono que quería ser objetivo pero que resultó más bien duro:

—¿Y qué ganamos con eso?

—Quince días, para que se tranquilice...

—Supongo que usted conoce el reglamento.

—Lo conozco. Por eso estoy aquí.

—¿Desde cuándo está embarazada?

—Tiene ya dos meses.

—¿Está seguro?

—Dos meses, sí. Tal vez un poco más. Pero muy poco más de dos meses.

—Más los quince días de licencia médica, va a volver a clases con un embarazo de tres meses, ¿no es cierto?

—Así es.

—Estamos en octubre. Suponiendo que yo no dijera nada... ¡Más que eso! Suponiendo que yo ocultara esto y viera la forma de que Angélica llegara a los exámenes... es prácticamente imposible. Todo octubre, luego noviembre... ¡Y los exámenes son recién a fines de diciembre! Va a tener casi cinco meses para esa fecha.

—Yo lo he calculado todo —el hombre sacó un papel del bolsillo de su chaqueta y lo extendió sobre la mesa con sus manos gruesas, surcadas de arrugas tan profundas que parecían grietas. Levantó la vista y la miró a los ojos—. ¿Estaría dispuesta a ayudarnos?

—No se trata de que esté dispuesta o no. Se trata de que no puedo mentir. No puedo ayudarlo en eso, si es eso lo que usted me está pidiendo. Si quiere seguir hablando conmigo, venga a verme mañana. Ahora tengo que irme.

—Yo no le pido que mienta. Escúcheme un segundo, por favor —dijo el hombre a punto de quebrarse, pero también al borde de la irritación—. He pensado que si en noviembre todavía no se le nota nada, mi hija puede completar el porcentaje de asistencia que necesita para rendir sus exámenes. Lo he averiguado: en ese caso podría darlos directamente en el Ministerio. Basta con que nadie lo sepa. Son solamente dos meses. ¿Me comprende?

—Si bastaba con que no se supiera... ¿por qué vino a contármelo?

—Porque esto sólo puede resultar si Angélica confía en usted y si usted la ayuda.

Sonia dejó un billete sobre la mesa y esperó a que la muchacha se acercara, para así hacer más impersonal la despedida.

—Todo esto nos ha costado mucho —dijo el hombre—. Ha costado vivir en familia, usted ve que mi hija no confía en su madre. Ha costado el dinero para mantenerla estudiando. Ha costado que me tenga confianza a mí, pero creo que al menos eso lo he conseguido. Ha costado...

Sonia interrumpió el recuento con una pregunta que la inquietaba desde hacía rato:

—¿Cómo se lo dijo?

—Bueno, fue antenoche. Estaba muy, muy nerviosa, llevaba días encerrada en sí misma, aunque su madre apenas nota esas cosas. Para que me entienda, tengo que contarle lo del canario. Es un minuto no más. ¿Puede ser?

—Cuénteme.

—¿Quiere otro café?

—No, por favor. Cuénteme cómo pasó todo.

—En una estación, ya no recuerdo si en Temuco o en Los Ángeles, vi a un niño, un niño muy pequeño, no tendría más de seis años, entumiéndose con una jaula en un banco del andén. Era muy tarde y el andén ya estaba vacío cuando se me acercó y me pidió que le comprara el canario, así iba a poder comer esa noche. Era un niño de ojos grandes, muy despiertos. Yo le pasé un billete, no sé, quinientos pesos, y le dije que no quería llevarme su canario. Me siguió y me dijo que si alguna vez yo quería un canario, lo podía encontrar vendiéndolos en ese andén. Ahí entendí que lo que él quería era vender canarios, no pedir limosna, y pensé en lo tristona que estaba Angélica en estos últimos días y en lo bueno que sería comprarle al chico el canario y regalárselo a mi hija, mal que mal hace tiempo que vuelvo de mis viajes con las manos vacías, los tiempos que corren, usted sabe, así es que le di mil pesos y me quedé con la jaula. Esa noche, cuando le entregué la sorpresa a mi hija, sentí que algo no andaba bien, que algo mucho peor de lo que yo podía imaginar estaba pasando ante mis narices y yo era incapaz de notarlo... aunque no, en realidad: ya lo había notado en la mirada de Angélica al tomar en sus manos al pajarito, esos ojos tan iguales a los del niño del andén. Quiero decir algo más que notarlo, saber exactamente qué era eso que había notado, saber por qué estaba sufriendo mi hija. Mi hija es la persona que más quiero en el mundo, y si usted me permite una franqueza, puedo decirle que en realidad mi hija es lo único que yo quiero en el mundo. Y cuando tomó el canario, empezó a tiritar, quiso decir algo, le temblaban los labios, estaba temblando entera. Sin soltar al pajarito, apretándolo más contra su cuerpo, salió corriendo del comedor y se encerró en su pieza. Cuando fui a verla estaba llorando y me decía «no quiero, no quiero». Pasó mucho rato repitiendo esas dos palabras, sólo ésas. Después de que pasaron los temblores de su cuerpo y recuperó el resuello, mirando al canario entre sus dedos y acariciándole suavemente el vientre, dijo muy despacio, como si pesara cada palabra: «No quiero que lo maten. Voy a tenerlo».

Hubo un silencio que a Sonia le pareció larguísimo, pero que no se atrevió a interrumpir. Se había concentrado en los restos del café en el fondo de la taza, y por eso escuchó como si viniera desde lejos la voz del hombre explicándole lo que siente un niño cuando toma en sus manos un pájaro.

—Ese latido en la palma, algo tan... no sé, tan frágil, casi imposible, y sin embargo los latidos siguen entibiando la mano. Eso es lo que sintió mi hija. Y me dijo después que sintió que bastaba un gesto tan mínimo, bastaba apretar un poco la mano y ya no habría un solo latido más. Eso pensó tirada en la cama, llorando. Dejó de llorar cuando estuvo segura de que no lo iba a hacer.

—Venga a verme —Sonia se puso de pie—. Saludos a Angélica. Cúidela.

—No sabe cuánto se lo agradezco —dijo el hombre y sonrió por primera vez.

Ya en la calle, sintiendo de nuevo en su cara las gotas de rocío que caían desde la copas frondosas de los árboles, pisando con sobresalto las baldosas corridas y las sombras más oscuras, le preguntó al hombre si quería que lo llevara en su auto hasta algún lugar más cerca de su casa. El padre de Angélica le agradeció, pero le dijo que necesitaba caminar un par de cuadras, quería fumar, y un poco más allá pasaba el bus que le servía. Sacando el auto de esa boca de lobo, encendiendo los focos, encendiendo un poco de cordura, qué tonta, qué tonta, siempre me pasa lo mismo, me comprometo de idiota que soy, me enredo una vez y otra y otra, se decía Sonia conduciendo hacia su casa por calles solitarias, todo el mundo encerrado bajo llave, todo el mundo con miedo y yo, la estúpida, tendría que haberle dicho cuál es mi deber como profesora jefe, tendría que haberme puesto firme, haberle explicado que lo que me pide es imposible, no puedo mentirles a mis propias colegas, entiéndame, no puedo hacer eso aunque la razón sea válida, y se repetía una y otra vez lo que debió decir y no dijo, y sobre todo, qué tonta, no debí jamás sugerirle lo del café, cuando entramos allí ya estaba sentenciada, por estúpida. ¡Las diez! ¡Van a ser las diez! Y la pobre Estela todavía esperándome. De nuevo no voy a ver a los niños. ¡Pero qué bruta! ¡Qué bruta! Si me hubiera ido cuando le dije que no podía ayudarlo, y otra calle oscura, otro desierto instalado en la ciudad, ladridos lejanos, otra noche tensa, llegar a encerrarse, besar a los niños dormidos, poner la Cooperativa para saber qué pasó hoy, y empezar a cerrar todas las puertas, doble vuelta de llave, pasar los cerrojos, asegurar la tranca de la puerta principal, ojalá esté Julián, me gustaría contarle, así una se alivia. ¿A Julián? ¿A él quiero contarle? En realidad, lo que ya hice, lo que acabo de hacer hace media hora, es una promesa: no se lo contaré a nadie, su hija puede volver segura de que nadie lo va a saber. Así lo entendió. No sabe cuánto se lo agradezco. Ya no puedo contárselo a nadie. Voy a tener que vivir con esto, y cuando vuelva, aunque no quiera, estaré observando el patio en los recreos, buscándola con la vista, ahí, en esa esquina, ahí está, rodeada de un grupo de amigas. ¿Es ella la que habla? Sí, es ella. Y ahora se ríen. ¿De qué se ríen? ¿Me vieron? Sí, me vieron, me están mirando, secreteándose, ¿ella misma ya les habrá contado? ¿Será de mí que se ríen? ¿Cómo saberlo? En el próximo recreo me voy a poner más cerca, voy a pasar por el lado como que no quiere la cosa, así vamos a saber, así voy a saber. ¿Voy a saber? En esa última esquina, ahí, no en la esquina del patio donde la miran y murmuran, sino ahí, en la esquina de su casa, ya vamos llegando, son más de las diez, no está el auto de Julián, no está Julián, un día más, ya vamos llegando.

—Me atrasé, Estela. Váyase al tiro. ¿Llamó alguien?

—Llamó don Julián y dijo que va a llegar tarde.

—Bueno, no se atrase más, váyase.

—Y llamó la señora Cecilia.

—¿Anotó el recado?

—Sí, señora. Aquí está.

Sonia tomó la hoja superior del taco que la nana le alcanzó con una presteza que subrayaba su obediencia. Leyó los trazos grandes y desiguales de una caligrafía modesta.

Llamó la señora Cecilia. Que la llame. Que llegó un señor Andrés. Que se juntan el sábado en la casa nueva.

—¿Nadie más llamó?

—Nadie más, señora.

—Váyase, Estela. Gracias. Es muy tarde. Ahora quiero ver a los niños.

CAPÍTULO SEIS

10

—¡Andrés!

Sí. Fue su nombre lo que oyó esa tarde en el supermercado, en medio de las ofertas, rebajas y sorteos que apabullaban a los que iban llenando sus carros, asediados además por anuncios que atenuaba sabiamente la música ambiental. Contrastando con la profusión de frascos y etiquetas que se sumaban a ese asedio desde las estanterías, Andrés vio a Sonia como una aparición, una figura instantáneamente familiar, cercana como si el tiempo no hubiera transcurrido, hermosa como el recuerdo que cultivó todos esos años con la desaprensión y la frivolidad de las que ahora tomaba conciencia culposa al ver la sonrisa trémula y el gesto conmocionado de su amiga.

—¡Uuuuffff! Déjame respirar un poco, déjame recuperar el aliento. Mira cómo me puse, si parezco... no sé lo que parezco. Mira. Tengo la carne de gallina —dijo con una risa nerviosa, feliz, asustada, y girando la cara para ocultar sus rubores agregó—: No, no, así no vale.

—¿Qué no vale?

—Yo vengo a comprar algo para el té y así, sin tener idea... me encuentro... no, no es justo, tienes que darme un poco de tiempo.

—Todo el tiempo que quieras.

—¿Dónde estás?

—En la casa de mis viejos, aquí a la vuelta. ¿Y tú?

Sonia vaciló antes de refugiarse en una pregunta que apenas le hacía ganar un par de segundos.

—¿Y yo qué?

—¿Dónde estás?

—En mi casa. También aquí a la vuelta —dijo Sonia, y sus ojos ya no tenían el mismo brillo ingenuo. Una nube repentina había ensombrecido su entusiasmo—. No te rías, si es verdad.

—Eres tú la que se ríe. ¿De qué te ríes?

Pero Sonia no quería reírse. No se reía, en realidad. Sólo pensaba en cómo decírselo. Y más bien pensaba cómo era que había llegado a eso que tenía que decirle ahora; cómo su vida había llegado a un punto en que tuviera que decirle algo que le parecía tan irreal, casi una mentira.

—¿De qué te ríes, mamá?

—...

—¿Es tu hijo?

—Mi hijo Julián.

—Hola, Julián. Yo me llamo Andrés. ¿Cómo estás?

—Mamá... vámonos. Tengo sueño.

—Cómo va a tener sueño a las cuatro de la tarde, mi amor. Vaya a buscar unos chocolates. Uno de esos trencitos que a usted le gustan.

—¿Qué edad tiene?

—Cinco.

—¿Es el único?

—Es el menor. Tengo una niña de siete. Vaya pues, Julián, no se ponga pesado. Vaya a buscar los trencitos de chocolate.

—Es simpático.

—Aquí los niños viven en los supermercados. Menos mal que me hizo caso. Cuando me ve con alguien extraño, se me pega y no me suelta por nada del mundo. Es celosísimo.

—...

—¿Y tú?

—¿Yo qué?

—¿Estás solo? ¿Estás casado? ¿Viniste con tu mujer?

—¡Fiiiiiiuuuuu! Para contestar eso necesitamos un buen rato, tu chico tendría que ir por lo menos hasta Mendoza a buscar trencitos de chocolate.

—O sea... estás casado.

—No.

—Estuviste casado.

—Sí.

—¿Viniste solo?

—Sí.

—Mira, ahí vuelve. No tenía necesidad de ir a Mendoza —dijo Sonia recuperando el brillo entusiasmado de sus ojos y su atarantada alegría, su nerviosismo, sus temblores—. ¿Listo, mi amor? ¡Y trajo cuatro! ¿No será mucho? Llevemos dos. Uno para ti y otro para tu hermanita. ¿De acuerdo?

—¿Y tú? ¿Y él?

—No, gracias —intervino Andrés—. Yo te voy a comprar tu trencito y el de tu hermanita. ¿De acuerdo? Ah, mira quién viene ahí. Mi hermano Sergio. Sonia, una amiga. Una vieja amiga joven y linda. Lo que es la vida. ¿No es cierto que antes de salir hice una llamada?

—Es cierto —dijo Sergio.

—Hace media hora estuve tratando de ubicarte. Es increíble que diez minutos después nos hayamos encontrado aquí.

—Anota mi teléfono, Andrés. Llámame.

—Aquí lo anoto, dale.

—246 66 24.

—Ya me lo aprendí.

—Bueno, llámame. Y ven a verme. Somos vecinos. Tú ya te quedas, ¿no?

—No. Bueno, sí. Vengo por quince días y luego voy de nuevo a Berlín, y ya estamos preparando la vuelta. Yo creo que será pronto. Te llamo lo antes que pueda.

—Cuidado, hijo, no sea así. ¡No puede ver que me den un beso! —y piensa: *estamos preparando la vuelta.* No está solo, entonces. Se viene con alguien. Está casado—. Chao, Andrés, chao, Sergio. Vamos, Julián, y no haga nunca más eso, ya le he dicho...

—¿Te sirvo algo?

Andrés se arrellanó en el sofá desvencijado que Sonia le señaló luego de mostrarle el alicaído ambiente de su casa, un estar semivacío, de paredes oscurecidas por el polvo, amarillentas con la resolana de la tarde, esa tarde que siguió a la del encuentro en el supermercado. Desde el sofá la vio hacer los últimos movimientos inseguros antes de venir a sentarse junto a él: cerrar dos puertas que daban a cuartos interiores del departamento, abrir la de la cocina, volver a preguntar:

—¿Te sirvo algo?

—No, gracias.

Buscando algo que decir, Andrés recurrió a esa pregunta que siempre les parece afectuosa a las madres:

—¿Y el niño?

—Lo llevé donde mi mamá. Así podemos conversar tranquilos. La niña llega a las siete del colegio.

—¿Quieres que vayamos a algún lado? ¿A tomar un café, por ejemplo?

—No. Quiero que estemos en mi casa. ¿No te gusta estar aquí?

—Claro que sí. ¿Por qué no me iba a gustar?

—Porque estás incomodísimo, mirando la puerta a cada rato, como si en la otra pieza estuvieran robando y en cualquier momento fueran a aparecer los ladrones con un saco lleno de candelabros de plata. Nadie va a entrar por esa puerta. Y aquí, como ves, no hay nada que robar. Ya se lo robaron todo.

—...

—Eso te lo cuento después. ¿Quieres un trago? Aquí no hay mucho, pero déjame ver —e hizo ademán de levantarse.

—La verdad es que a esta hora...

—¿Quieres que te haga un té?

—Quiero que no te muevas.

Pero ella quería moverse, disimular el rubor, derivar el estremecimiento hacia las atenciones consabidas, servir algo de vino en una copa podía ayudar, preparar una taza de té, hablarle desde la cocina, subir la voz para afirmarla, hacerle desde allá las preguntas que sonarían distinto si se quedaba junto a él, y sentía su aliento, y miraba cada pelo oscuro de su mano olvidada sobre el sofá, tan cerca de su pierna.

—Déjame mirarte.

—...

—Estás igual.

—Ya tengo canas.

—Y algunas arruguitas, que es lo que más me gusta. Y tienes los ojos llenos de todo lo que has visto. Contigo podría estar hablando días y días.

—Tenemos que hacerlo, Sonia. Ya veremos cómo.

—No hay tanto que ver. Yo me las arreglo.

—¿Qué haces mañana?

—Clases, hasta la una y media.

—¿Y después?

—¿Después? Espero que me invites a almorzar.

—¿A dónde te gustaría ir?

—¿Y a ti?

—A uno de nuestros boliches de antes.

—Al Ching Peng. ¿Te acuerdas?

—¿Me preguntas en serio?

—...

—¿Me preguntas en serio, Sonia?

—Sí, muy en serio. Pensé que yo era la que había guardado todo aquí adentro. ¿Por qué nunca me llamaste? ¿Por qué nunca me hiciste saber de ti?

—...

—Tienes las manos calientes. Siempre las tuviste calientitas. No, no, déjame tenerte de la mano. Eso, nada más. Por favor. Déjame tomarte esta mano y nada más. ¿No te dan ganas de llorar a gritos?

—...

—Anoche... no dormí ni una pestañada... Julián llegó tardísimo y como yo estaba callada haciéndome la dormida, pensó que estaba furia porque había llegado tan tarde. Empezó a defenderse, a justificarse, a disculparse a su manera tan patética... Era tan triste todo. Yo había estado pensando en ti toda la noche y era él quien me pedía disculpas, y mientras se disculpaba yo oía sólo un canturreo ridículo, porque lo único que duraba en mis oídos era tu voz diciendo «me quedo quince días, luego vuelvo a Berlín». Así es que me quedé callada porque si abría la boca, si decía una sola palabra, me iba a poner a llorar, y tenía un dolor en el pecho, no era solamente una pena infinita, era algo físico, y para no llorar había mordido la sábana, y la sábana estaba empapada de mi saliva, o de mis lágrimas, aunque estoy casi segura de que no lloré, a pesar de que todo me parecía tan... no sé qué palabra usar que no suene ridícula, pero era tristísimo... y él ya metido en la cama seguía disculpándose, ahora más amable, y me decía que no tenía que ponerme celosa, que yo siempre sería para él la única... y yo estaba pensando en ti y deseando oír que esa misma noche había conocido a otra mujer y se había enamorado, porque así habría algo como un empate, como un equilibrio, algo más parecido a la justicia, pero claro, muy, muy difícil... eso no pasa nunca... no pasa nunca... sería como si tu reloj y el mío se pararan en el mismo momento.

—Yo también pensé en ti toda la noche.

—¿Ah, sí? Pero yo tenía que decirlo primero, ¿verdad? —y Sonia trata de ser jovial y aligerar esta situación que se pone demasiado densa, como la oscuridad que ya terminó de instalarse en las paredes, en las cosas, en la sombra de las cosas.

—Tenemos mucho que decirnos, qué importa quién lo diga primero.

—A lo mejor no hay mucho, o no hay nada que decir. A lo mejor descubrimos que después de una buena sonada de narices y un pato Pekín y un par de tragos el vuelo continúa sin turbulencias, y tú de nuevo en Berlín, y yo de nuevo en esta casa que me da ganas de llorar a gritos. ¿Viste que no tengo muebles? Y mi marido jurándome que me quiere como nadie en el mundo, aunque prefiera estar con sus amigos hasta las cuatro de la mañana. ¿Y sabes qué es lo más terrible de todo esto? ¿Sabes?

—No.

—Pero díme algo, a ver. ¿Qué puede ser?

—...

—Lo más terrible es que es verdad. Lo más

terrible es que ese hombre que tiene vergüenza de estar conmigo es la persona que más me quiere en el mundo.

—Bienvenidos. ¿Qué puedo ofrecerles de aperitivo?

El día siguiente fue también un día soleado desde muy temprano, sin brumas, caluroso. Andrés esperó a Sonia a una cuadra del liceo, así como la había esperado esa noche a una cuadra del Pedagógico para no despertar la curiosidad de los estudiantes. Caminaron por Marín hasta Vicuña Mackenna, pues habían decidido almorzar en el mismo restaurante chino en que cenaron la noche del diez de septiembre, la primera noche juntos, también la última antes de esos doce años sin verse. Así es que ahí estaban de nuevo, sentados incluso en la misma mesa o en el mismo lugar, en un rincón alejado de las ventanas que daban a la calle y de las puertas de acceso a la salida y a otros comedores. Arrinconados como aquella noche, se dieron al juego de las caricias tímidas y de las timideces sabiamente manejadas por Sonia y torpemente disimuladas por Andrés. El mozo les habló con cortesía, como disculpándose por interrumpir esa intimidad de manos apretadas, sonrisas y susurros que envolvía como una aureola a la pareja.

—¿Qué quieres tomar, Sonia?

—No sé. Decide tú.

—Bueno, yo tomaría...

—¡Ya sé! ¡Celebremos con champaña!

—Estupendo. Una botella de champaña, por favor.

—¿Alguna marca?

—Algo seco. Un *brut,* por favor.

—Les dejo la carta.

Así es que ya estaban de lleno en el juego que habían inventado tan peligrosamente: tratar de poner los pies en la huella, provocar al tiempo, medirse con una vara traicionera. El lugar era el mismo pero, como es lógico, no era, no podía ser el mismo. Eran los únicos parroquianos a una hora en que, en otros tiempos, estaba lleno de comensales almorzando. Pero no sólo les incomodó la condición de abandono, sino la pobreza y el deterioro que se sumaban a esa sensación de soledad y vacío. Algo olía a rancio, a espacio sin airear, a continua penuria. El mantel lucía unas manchas oscuras que habían sobrevivido a innumerables lavados. La flor que languidecía en un pequeño florero —un florero de vidrio verde— era del día anterior.

Andrés hizo una broma ácida de la que de inmediato se arrepintió.

—Esta flor, ¿no está como nosotros? —dijo de pronto, señalando el florero.

—¿Cómo?

—Así, del día anterior. ¿No nos hemos transformado en flores de otro día, en secuelas, en sobrevivientes?

—Aquí yo vivo para cada día. Es muy difícil darse cuenta de lo que me dices. Supongo que tienes razón.

Y lo dijo con un tono tan amargo que las palabras conformaron apenas la mentirosa continuidad de esa frase por la que sangraba no sólo su presente, sino también todo su pasado, ese día anterior que había vivido como un desvío sin salida, desde la misma noche en que conocieron simultáneamente el encuentro y la separación.

—Después del primer brindis, quiero que me cuentes más de tu matrimonio —dijo Sonia tratando de aclarar su voz.

—Vamos, hagamos un brindis. ¿Te parece que brindemos por la última noche?

—Para mí es más bien la primera —dijo Sonia tomando su copa.

—¡Por la noche del diez, en el Pedagógico!

—¡Por la noche del diez de septiembre, no sólo en el Pedagógico! —recalcó Sonia sosteniendo su mirada en los ojos de Andrés—. ¡Salud!

—¿Es cierto que estabas allí esa noche porque habías ido a buscarme?

—Absolutamente cierto.

—Yo también fui con la idea de encontrarte.

—Lo sé.

—¿Por qué?

—Porque viniste caminando hasta el banco donde yo siempre esperaba el comienzo de tu clase.

—¿Y qué más recuerdas?

—Todo. Te sentaste...

—Antes te reíste. A carcajadas.

—Estaba muerta de nervios. Quería parecer una mujer con experiencia. Y estaba temblando entera. Bueno, te sentaste a mi lado y te tomé una mano... así... y después puse mi cabeza en tu hombro... acércate... sí... así está bien... así estábamos esa noche, soñando que era la primera de muchas que vendrían, y que todo el tiempo estaba por delante, sólo para nosotros, para conocernos, para amarnos, y lo que parecía el comienzo ya era, sin que lo supiéramos, el peor final.

—Ahora es el comienzo.

—No te engañes, Andrés. Tú sabes que no es lo mismo. ¡Cómo nos jodieron la vida! ¿O nos jodimos nosotros mismos? ¡Salud! Igual ya no tiene remedio.

—Pero ese banco tiene también otra historia, una que nunca quisiste contarme.

—¿Qué historia?

—Tú sabes.

—No sé de qué me hablas.

—Te vi una tarde sentada en ese banco con un muchacho. Te alejaste con él hacia la cancha y la salida de Avenida Grecia. ¿Te acuerdas?

—Sí. Ya sé de qué estás hablando.

—¿Quién era?

—Un amigo. No, la verdad es que no era ni siquiera un amigo. Era un compañero. Yo tenía que darle la dirección de una casa donde pudiera esconderse si pasaba lo que pasó.

—Eso no me lo dijiste esa noche.

—No podía. No debía, más bien.

—¿Volviste a verlo?

—No. Nunca más.

—Como a mí.

—No. Es distinto. A él lo mataron.

La presencia del camarero alivió la tensión de ese silencio que duraba sobre la mesa como el humo; esas bocanadas ansiosas que iluminaba de azul la resolana. Tras una larga pausa retomaron ese juego, el ingenuo intento de restauración.

—Y después nos vinimos para acá.

—Pero antes hiciste algo de teatro con tu famosa guardia, querías que todos te vieran, que se notara que habías cumplido, que eras, como todos, un niño bueno, abnegado, militante. Te esperé como una hora helándome en el patio. Después me dijiste que era mejor si salías solo, que me esperabas en Macul con Irarrázaval. Éramos tan buenitos, decentitos, tan camaradas, tan bolches, tan...

—No te burles, tú también hacías guardias.

—Por eso digo *éramos*.

—Y esa noche quisiste venir aquí. Fue tuya la idea.

—Porque acababa de leer en las memorias de Simone de Beauvoir un capítulo en que ella y Sartre van a comer a un restaurante chino. Y tú nos hablabas de Sartre en tus clases, y de Camus, y de los *Grundrisse*. Lo decías en alemán, porque eras bien pedantón, como todos nosotros, los dueños de la verdad y del mundo. Y decías *Grundrisse* por los *Fundamentos de la crítica de la economía política* de Marx, sin imaginarte que antes de un mes ibas a estar aprendiendo alemán en serio, metido en la nieve hasta las rodillas y con el almita más congelada que tus zapatos.

—Si vamos a ser tan minuciosos en el arte de recordar, espero que recapitulemos todo lo que pasó esa noche.

—Es lo que estamos haciendo, ¿no?

—Pero no sólo verbalmente —dijo Andrés tomándole nuevamente la mano, que le pareció lánguida como la flor amarilla que languidecía también en el vaso de vidrio verde.

—No sólo verbalmente, por supuesto. Estamos en el mismo lugar de esa noche. Supongo que vamos a comer lo mismo. Si lo piensas bien, incluso estamos hablando de lo mismo —hizo una pausa, bajó la vista, aún no se recuperaba de la desafortunada comparación de Andrés; miró la flor y agregó con una sonrisa triste—: Hasta parece que la flor estuviera olvidada aquí desde esa noche. Y acepto que nosotros mismos estamos aquí como esa flor. Nos quedamos viviendo dentro de un grueso vidrio verde desde la noche del diez de septiembre.

—Era sólo una broma... ¡Una comparación que me vino, y ya! No lo tomes como si fuera una de las tesis de Feuerbach. Tampoco pretendía explicarte la idea de principio en Leibniz. No quería sostener una verdad fundacional. Fue una tontería, eso es todo. Perdóname.

—Es que no fue una tontería. Eso es lo que me da pena.

—¿Qué quieres decir?

—Que yo lo he sentido así todos estos años. Todo lo que he hecho ha tenido como meta olvidar que lo soñado esa noche no sería nunca más posible. A veces lo logré, es cierto. Pero siempre volvía la sensación de vivir por debajo de lo que fue esa ilusión.

—Siempre vivimos por debajo de nuestras ilusiones, Sonia. Para eso tenemos ilusiones, finalmente. Para tratar de vivir por encima de lo que seríamos sin ellas.

Hubo un largo silencio. Habían comido ya. Habían tomado la botella de champaña esperando el almuerzo, y la botella de vino blanco que acompañó la comida estaba vacía y mustia, de un verde traslúcido como el vaso de la flor, como la resolana que llegaba a través de una cortina delgada de color verdoso, como el reflejo de la resolana en la desnuda palidez del brazo de Sonia, estirado para que su mano siguiera adormecida por el apretón fuerte de Andrés.

—¿Cómo estás? —preguntó él con cautela.

—Mejor.

—¿Quieres que pidamos más vino?

—¿Vamos a quedarnos aquí mucho rato?

—No sé.

Ambos comenzaron poco a poco a reírse, más bien a disimular una risa que insinuaba que estaban pensando en lo mismo, y que esa doble simulación, simular que estaban tratando de disimular sus propias risas, ese lenguaje de espejos, porque era idéntico en ambos, y era también doble y mentiroso, y al mismo tiempo lo más verdadero que les había pasado en mucho tiempo, reventó finalmente en la decisión de partir luego, de seguir poniendo los pasos en la huella de esa antigua noche.

—Hay que pagar la habitación y los tragos al tiro —dijo la camarera, evitando mirarlos mientras alargaba la mano en espera del dinero.

Se habían ido caminando por la tarde soleada hacia la pieza sombría de un hotel de la calle Marín. Sonia dejó su chaqueta sobre la cama, entró luego al baño, hizo correr el agua del lavatorio, probó la ducha, se arregló el pelo mirándose en el espejo, hizo tiempo, algo le decía que ese paso final en el huella de la antigua noche podía ser mucho peor que la pérdida iniciada con ella. Tenía miedo. Su corazón latía aceleradamente. Lo que dijera ahora sonaría falso de todas maneras y por eso volvió a la pieza sin mirar a Andrés, sin decir nada, escudándose en el cigarrillo que encendió nerviosamente, y luego en la profunda inhalación, y finalmente en el largo y sostenido flujo del humo que tiñó de un tono azulino la semipenumbra de la habitación.

Andrés había colgado su chaqueta en el ropero. Preparó dos tragos, sirviendo en los vasos abundante pisco y algo de Coca-Cola, y buscó el interruptor que permitiera subir el volumen de una música que oía asordinada, como si estuviera pegada a las paredes y no pudiera desprenderse de ellas. Sí, hacía falta esa música, sobre todo si Sonia no decía nada, seguía en ese baño desde donde llega ahora el ruido del agua corriendo y de la ducha; no decía nada y el silencio les pesaba a los dos; no sabe si fue buena idea seguir el impulso, redondear la forma que cerraba el círculo, el movimiento que llevaba esa tarde a terminar de la misma manera lo que hacía ya tanto tiempo había terminado. Cuando Sonia, sentada en la cama, había fumado en silencio la mitad del cigarrillo, Andrés se acercó con los vasos y la besó en la frente.

—¿Me encuentras linda todavía?

—Mucho más linda.

—¿Más linda que el recuerdo que tenías de mí?

—Más linda que cualquier recuerdo que pueda tener.

Ha pasado la tarde y es muy entrada la noche. Salen de la pieza del hotel, de la trampa, a la tensión acelerada y ruidosa de la calle Marín, llena de pasos, de focos y de sombras; atraviesan el Parque Bustamente en silencio. Ven a las parejas que se besan cobijadas por el follaje de los árboles, apegadas al tronco oscuro como se apegaron ellos a esa noche perdida en la oscuridad del tiempo. ¿Habrá sido un error? Y si lo fue, ¿cuáles serán las consecuencias? ¿Cómo va a dormir esa noche? ¿Estará Julián en la casa?, se pregunta Sonia mientras camina con la cabeza baja, pendiente ahora de los adoquines, del ruido de sus tacos en los adoquines, del ruido que los adoquines hacen para darle presencia a ese silencio que ninguno se atreve a romper, porque lo que se diga ahora será recordado por ambos esa noche, será causa de placidez o de dolor. Andrés calcula: es en la próxima cuadra. Dos minutos. En dos minutos estaremos en su casa. ¿Qué decirle si me hace pasar? No quisiera ver a su esposo por nada del mundo. Sonia trata de pensar, todo es tan difícil. ¿Se van a ver el sábado donde Cecilia? Él le contó que estaba invitado, le dijeron que no podía faltar, no se veían desde hacía un montón de años, mal que mal es tu casa, viejo, tienes que ver lo linda que quedó. ¿Ella se atreverá a ir? ¿Soportará una noche con Andrés y Julián sentados a la misma mesa? Van llegando a la casa. Sonia, como siempre, mira instintivamente las ventanas del tercer piso del edificio. La luz de la sala está apagada; la de los niños, encendida. No está Julián.

—¿Quieres acompañarme un rato?

—No creo que sea bueno, Sonia.

—¿No es bueno para ti?

—Para nadie, creo yo.

—Para mí sí es bueno. No quiero estar sola en este momento. Fumamos un cigarrillo y te vas. Quiero que hablemos lo del sábado. Nosotros también estamos invitados.

—Los niños ya están acostados, señora. ¿Me puedo ir?

Se hallaban ahora de nuevo en el departamento de Sonia, que a la luz sucia de la única ampolleta parecía un lugar tan desolado como la pieza del hotel. Andrés pensó que fumando y diciendo un par de frases elusivas de lo que realmente les estaba ocurriendo no saldrían de la trampa, pero Sonia acercó un cenicero, le sonrió y lo besó en la nariz haciendo un esfuerzo que era aun más triste que todo lo vivido esa noche.

—Alguna vez fue lindo. Teníamos buenos muebles y esto se veía bien. Un día llegaron con una orden judicial y se llevaron hasta la juguera. Todavía está pagando lo que derrochó con esas malditas tarjetas. Al final pagaba en las tiendas con ellas y salía corriendo a vender a mitad de precio lo que había comprado. Hacía «la bicicleta», como lo llaman aquí: empiezas pagando con nuevos créditos y terminas con una orden de embargo en tu puerta. Pero no creas que siempre he vivido así. Antes parecía en realidad una casa.

Se oyó un estrépito que venía creciendo y acercándose como un rodado.

—No te asustes. Es mi hijo. Baja así las escaleras cuando suena el timbre. Sabe que ha llegado su papá.

—Hola, mi amor. ¿Llegó la mamá?

La voz del hombre, desde la puerta de entrada, sonaba sin tensión, cálida, afectuosa.

—Hola. Te presento a un amigo. Andrés García. Viene llegando de Alemania. Fue mi profesor en el Pedagógico. Andrés, te presento a Julián.

—Mucho gusto.

—Encantado.

En la puerta del departamento Andrés sintió la mano de Sonia tratando de apretar la suya, mientras escuchaba como un eco las frases de despedida.

«Estaba esperándolo, quería conocerlo. Pero tengo una comida y ya es muy tarde. Usted sabe cómo es con los que vuelven. Ya no sé qué hacer con mi hígado.»

«Habrá ocasión para vernos. Buenas noches.»

Cuando ya estaban en la calle, Sonia lo abrazó y después del beso quiso saber cuándo volverían a encontrarse.

—Yo te llamo.

—¿Cuándo?

—El sábado.

—¿A qué hora?

—En la noche. ¿Puedo?

—El sábado vamos donde la Cecilia. Tú también estás invitado.

—¿Te parece que debo ir?

—¡Me encantaría!

—Vas con Julián, supongo.

—¿Y?

—Sería mejor que yo también fuera con alguien.

—¿Con quién piensas ir?

—La Cecilia le pidió a la Julia que me llevara.

—Si para ti es mejor...

—Sonia, tengamos cuidado...

Sonia lo abrazó de nuevo y lo besó largamente en la boca. Luego corrió hacia su departamento.

Segunda parte

La grieta

cuando
llueve
en la soledad
tal vez una gotera
suena
como voz humana
como si allí estuviera
alguien llorando

Pablo Neruda,
Cien sonetos de amor

CAPÍTULO SIETE

11

—Vamos a inaugurar la mansión, retornado —le dijo Julia cerrando el vidrio del auto y tomando su cartera desde el asiento trasero.

—Reconocimiento de lugar —agregó Andrés, subiendo también el vidrio de su ventanilla y saliendo del auto hacia la calle.

Y siente, como esa ventosa húmeda que se pegaba a sus brazos cuando descendía del avión a las temperaturas del trópico, la bocanada caliente de la pesadilla, el sueño recurrente sumergido en las profundidades de sus pánicos nocturnos. En el sueño recorre una ciudad que reconoce, y es como si las esquinas, los techos de tejas anaranjadas, las veredas bordeadas de pasto, participaran al mismo tiempo de la materialidad presente y de la condición del recuerdo; como si compartieran la sustancia de la realidad y la incierta materia de la memoria. Pero el reconocimiento le produce, a pesar de todo, una sensación feliz. No le pesa la maleta que cuelga de su mano. En la otra lleva un montón de cartas. Sobres celestes abiertos, humedecidos por el sudor de la mano que los aprieta. Recorre una calle aun más familiar en esa ciudad que su sueño reconstruye: el almacén de la esquina sigue allí, y la casa de las mellizas, y la casa del viudo, enorme y devastada por la maleza que se apropió del jardín; la casa de los curas (viven allí dos curitas viejos y varios seminaristas jóvenes que se van rotando con el paso de los meses; la casa de los Martínez; y luego... bueno, luego, en el sueño, siguen un muro y un portón de fierro. No recuerda ese muro, tampoco recuerda el portón. Allí había una reja de madera que terminaba en una puerta más ancha, también de madera y que solía ser el arco de los partidos de fútbol. Ésos eran el portón y la reja de su casa. Pero ya no estaban allí. Entre la casa de los Martínez y el largo muro que en el sueño la continúa, descubre que su casa ha desaparecido. No está más. Entonces desanda lo andado, reanuda el recorrido, vuelve al comienzo de la cuadra: se repite el almacén, pero ahora desde el mostrador alguien lo saluda levantando un brazo; se repite todo lo que sigue hasta el portón de fierro derrotado por la herrumbre. ¿Y dónde está su casa? En esa calle idéntica, con olor a flores y fragancia de frutería, ¿dónde está su casa? Empieza a pesarle la maleta del regreso. Ha vuelto a su barrio, a su cuadra, a lo suyo. Pero no encuentra su casa. Desapareció. Entre la casa de los Martínez y el portón del garaje, allí donde tendría que estar... no hay nada. La casa de los Martínez, el muro, el garaje, y así el resto de la cuadra. Tal como la ha recordado tantas veces. El mismo color cálido de las tejas, oscurecido por la lluvia de la última noche. El mismo tono amarillento de los visillos. Todo está igual. Sólo falta su casa. Entre el garaje y la casa de los Martínez, falta su casa. Desapareció. Y sigue desaparecida en ese sueño que se repite.

Fuera del auto, Julia demoró el camino contemplando esa esquina de barrio que ahora le parecía más ñuñoína que nunca, sobre todo si intentaba mirarla con los ojos de Andrés. Lo primero que registró es que todas eran casas bajas, de un solo piso. El cielo oscuro acentuaba el luminoso perfil de las panderetas blanqueadas de cal, y ennegrecía las techumbres de tejas humedecidas por la neblina. En la esquina opuesta su mirada diagonal descubrió el silencioso y amplio recinto de un colegio. En lo alto de una precaria torre de madera, la silueta de la campana, inmóvil, callada, colgaba sobre el patio y los columpios como el cuerpo de un ahorcado. Sintió un escalofrío que nacía de algo más helado que el frío de esa noche. Se arrebujó en su chaquetón sin alejarse del auto. Empezaban a gotear los árboles y los múltiples cables que los atravesaban. El pavimento recogía la luz del farol en su brillo oscuro. Todo parecía gravitar envuelto en esa neblina creciente. Frente a su auto, que estacionó junto a los otros invitados más puntuales, había un pequeño almacén. La tercera esquina, frente al colegio, era un sitio baldío cerrado con planchas de cemento destruidas aquí y allá, y que dejaban ver un amplio espacio vacío, ocupado por la maleza, la basura, el abandono.

—Ahí jugábamos al fútbol —dijo Andrés con súbito entusiasmo—. Pero no estaba cerrado. Era un peladero que cuidábamos como si fuera un estadio.

—Ya ve usted que hasta los peladeros se cerraron, mijito. Para los que no creen que la cerrazón es total.

Él la esperaba junto al auto todavía, maravillado por esas presencias más o menos fieles a sus recuerdos, algo borrosos, más o menos congruentes con las visiones que lo visitaban en sus sueños.

Ella se le acercó en silencio y cuando estuvo a su lado le preguntó en un tono que a él le pareció más irónico que la intención de su amiga:

—¿Así recordabas el farolito de la esquina?

—Así recordaba la esquina.

—¿Y qué ha cambiado?

—Casi nada. O casi todo. No sé. Era todo más grande, me parece.

—Supongo que lo único que no se acható en este tiempo fue el tamaño de las casas. Y si se siente todo más estrecho, no es porque se angostaran las calles. Nostalgia, que le dicen. Cuando las casas, o las cosas, van creciendo en la memoria.

—Tienes razón. Fíjate que lo encuentro todo tan chico. Ese sitio lo recordaba enorme. Y la calle, mucho más ancha. Si aquí apenas caben dos autos.

—La calle está igual, pero creció tu ojo. También vas a encontrar más chica tu vieja guarida —le dijo indicando la única construcción de dos pisos de la cuadra.

—No —dijo Andrés, mirando sorprendido en la dirección que le señalaba Julia—. Mi casa ha crecido.

—¿Crecido?

—Sí, ha crecido. Era sólo de dos pisos, sin ese altillo que sale del entretecho. Además, tenía una pared baja con reja de madera. No ese muro. Y había una puerta y no ese portón. Desde el jardín, mi mamá podía vernos cuando jugábamos en la calle. Lo único que está igual es el árbol del antejardín —le mostró el tranquilo vaivén del follaje que sobrepasaba la parte más alta del muro.

—Tú eres lo único que ha crecido. No creo que después de quince años encuentres nada igual.

—Tienes razón. Es que así la he recordado todo este tiempo.

—¿Quieres que demos una vuelta por la cuadra antes de entrar?

—No, prefiero entrar al tiro. Quiero ver la casa y a los amigos.

—Mentiroso. Lo que necesitas rapidito es un trago —y le dio un beso fugaz en la boca.

Se dirigieron entonces hacia el ancho portón de fierro y Julia acercó sus ojos a la mirilla.

12

Ya van agrupaditos conociendo la casa, asombrándose de lo bien que se restauró, será cierto que estaba tan deteriorada como dice Cecilia, pone en duda Marcela, no cree que en un mes y con un solo maestro se haya logrado esta maravilla. Porque es una maravilla, ¿verdad?, y todos asienten, sí, Cecilia, es increíble, y Manuel les cuenta que aquí, en la sala de estar, que parece tan amplia y se ve tan alegre ya pintada con ese blanco invierno que resalta la calidez de las vigas —sí, de caoba, claro que se nota, es inconfundible la caoba—, bueno, les decía que esto que ven era inimaginable hace un mes, las paredes no solamente estaban sucias por el polvo acumulado con los años, sino también con manchas. Muchas manchas, subraya Cecilia, y en los lugares más increíbles. ¿Me pueden creer que incluso en el techo? Como si hubieran tirado comida hacia el techo, seguramente los arrendatarios antiguos tenían animales. Por eso, Andrés, en el futuro tienes que pensarlo dos veces antes de decidirte por un arrendatario, dice alguien y Cecilia replica: pero si el pobre ni siquiera sabía que la casa estaba arrendada. ¿Quién la arrendó, entonces? Mi hermano Sergio, y nunca me contó nada, con recibir los dólares que me mandaba a Berlín, a mí me bastaba. ¿Y te dejaban recibir dólares en la RDA?

Claro que no, llegaban al Deutsche Bank del lado occidental, me enviaban una orden de pago cada tres meses, así se convino para no pagar cada mes el costo de la orden. ¿Y podías entrar ese dinero a Berlín oriental?, pregunta Marcela, y él no, claro que no, eso era un delito grave para un residente a ese lado del muro. Así que lo dejabas en el banco. Así es, y con esos ahorros pude pagarme este viaje. Pero miren, fíjense qué bien y qué amplia se ve desde aquí la escalera. Qué madera estupenda, dice Julián, esta casa tiene que haberla construido gente con plata. ¿Gente con plata en Ñuñoa?, pregunta Cristián. Claro, si en esta comuna había comerciantes, pequeños empresarios que se enriquecieron y, como no eran bien mirados por la gente linda del barrio alto, se quedaron por aquí, hicieron casas magníficas, ¿no han ido por Macul hacia el sur, no han visto esas casas estupendas, de dos y hasta de tres pisos? Sí, sí, las hemos visto. Algunas tienen almenas y troneras, parecen castillos medievales, otras parecen casas sevillanas, gusto de árabe, claro. El ancestro moro, mi viejo. Pero si esos comerciantes y esos industriales rechazados por la pituquería fueron los que se atrevieron a invertir y se hicieron ricos, acuérdense de Yarur, que ni al Casino lo dejaban entrar. Y entonces esta escalera tiene el señorío de esos años, cuando lo más importante era tener una buena casa y nadie se fijaba en gastos si había con qué, por eso la mejor madera, las mejores terminaciones, por eso da tanta rabia que la hayan entregado en ese estado. Yo creo que aquí había una casa de reposo. ¿Por qué? ¿Por qué una casa de reposo? Porque es imposible que una sola familia haya hecho tanto daño. ¿Y tú crees que sí unos pobres viejitos? No, no digo que los viejitos, pero cuando voy a ver a mi mamá a la casa de reposo de San Miguel, dice Marcela, se me parte el alma, veo el mismo ambiente de abandono que ustedes cuentan, todo se va poniendo irremediablemente sucio, parece mentira porque uno ve que los pobres del personal hacen lo posible por mantener la casa limpia; los viejitos, claro, apenas pueden llevarse una cucharada a la boca, si vieran cómo queda ese comedor después del almuerzo, y no sólo el comedor, qué digo, si comen en el living, en las piezas, en todas partes, y en todas partes esas manchas de comida en el piso, en las paredes, por todos lados ese olor horrible que se mezcla al de la sopa de coliflor que sale de la cocina, y al de los tres perros que viven ahí en la casa para cuidarla y para que jueguen con ellos los pobres viejos que todavía pueden jugar con algo. Vamos, vamos arriba, interrumpe Cecilia y van subiendo por la escalera de caracol. Vengan a ver, aquí está el dormitorio de las niñitas, acá el nuestro, y el escritorio de Manuel que ahora por fin va a escribir, tiene la idea de una novela. Cállate, Cecilia. No le gustó eso de la novela, era lo último que le había confiado y sentía que era una especie de confesión, algo privado, ella no podía venir a decirlo casi a gritos, como si su idea fuera un puñado de migajas que alguien les tira a las palomas. Pero vamos, vengan a ver, y estamos en medio de la escalera, en la curva, Julia avanza por la parte más angosta de los peldaños, no quiere empujar a nadie, tropieza entonces en un escalón, está a punto de caer, Andrés alcanza a poner una mano en su hombro y la rescata de la caída sabiendo que Sonia lo está mirando, y esa mirada es una inspección, quiere saber qué pasa ahí, por qué vino con Julia, por qué no la llamó anoche. ¿O la llamó? ¿Fue ésa la llamada que no se atrevió a contestar cuando estaba discutiendo con Julián si venían o no a la fiesta? ¿Tiene que ver con eso lo que pasó cuando Julia estuvo a punto de caerse en la escalera? Bueno, éste es el dormitorio de las niñitas, no necesito mostrarlo, dejémoslas dormir, es igual a ésta, dice Cecilia y les muestra la pieza pequeña, de paredes vestidas de un extraño tono lila, el lila suave con que soñaba en el departamento de Pedro de Valdivia cuando esta casa y esta pieza, su pieza, estaban todavía muy lejos de ser un sueño realizado, ese sueño que ahora vamos pisando, vamos tocando, vamos mirando. ¿Qué les parece este lila suave?, y las amigas precioso, Cecilia, te juro que es lindísimo, y sigan mirando, miren que el techo, las puertas y las molduras son tan blancas que destacan más el lila, por muy suave que sea, ¿no?, y como todo está recién pintado queda todavía ese olor de la pintura que se resiste a morir entre esas paredes, y Cecilia orgullosa les cuenta a sus amigas que ella misma eligió el color, ha visto ya un sofá y un silloncito del tamaño ideal, el género para las fundas también ya lo tiene escogido, hace juego con el lila suave de las paredes que no te cuento, ahí voy a tener mi escritorio, ahí mis libros de filosofía, aunque no quiero que parezca una biblioteca, no va con el ambiente, quiero algo cálido, acogedor. El lugar privado, les dice a las amigas en tono de secreteo, es cosa de ellas, eso que sólo ellas pueden entender. Aquí me voy a instalar por las tardes a leer, a estar sola cuando las niñitas estén en el colegio o jugando en este patio que, lo van a ver luego, es un verdadero parque. Pero no nos adelantemos, cuando esté terminada mi pieza lila las voy a invitar, vamos a hacer una inauguración especial, sin hombres, y se ríen. Julia encuentra tonta la situación y falso el motivo para juntarse sin los maridos, a ella que está sola le cargan esas reuniones de señoras aseñoradas, si no somos tan viejas todavía, piensa, a mí me gustan las comidas y las fiestas con hombres, alguien que te acompañe, te recoja y te lleve de vuelta, alguien con quien tener una complicidad especial, distinta a todo lo otro que se arme allí, alguien a quien invitar, o no, a tomarse un café cuando va a dejarte a la casa, pero bueno, era una broma, resulta bien tonto eso de que las voy a invitar a ustedes sin los hombres, en ésa conmigo no cuentan. ¿Qué? ¿Qué están diciendo ahí, tan calladitas todas, tan en sordina? Por estar pensando leseras se perdió una explicación de Cecilia que las tiene a todas sumidas en ese secreteo, pegaditas las cabezas, agachaditas, mirando el círculo que Cecilia traza en el parquet con su índice, haciéndolo girar: todo esto, así, de este porte, estaba quemado, hubo que reemplazar los parquets, encerarlos hasta darles el mismo tono del resto, pero lo increíble es que alguien haya usado braseros o qué sé yo con tanta indolencia, yo no sé cómo no hubo un incendio. Y lo curioso es que en la pieza de las niñitas encontramos el mismo círculo quemado, el mismo descuido, y yo les diría que casi casi en el mismo lugar, el centro de la pieza. Raro, ¿no? Y llegamos entonces al dormitorio principal, Julia y Sonia se miran, más bien se encuentran dos simultáneas miradas de reojo, no dice «nuestro dormitorio», dice «el dormitorio principal», estupendo el amplio closet que abarca toda la pared que enfrenta la ventana, y Cecilia va y descorre las cortinas, aparece el follaje de un robusto nogal, un follaje que el viento hace titilar bajo la luz del farol que lo ilumina desde la calle. Miren qué árbol más lindo, es lo primero que veo al levantarme cada día, y muy luego se va a llenar de frutos y vamos a recoger nueces del jardín para alegrar los desayunos. Una maravilla, dicen todos y Manuel, estimulado por el aplauso unánime que concita su dormitorio, se acerca al interruptor, apaga la luz y entonces la sorpresa de verse sumidos en la repentina oscuridad, ¿otro apagón?, pregunta Andrés. No, no, dice Manuel tranquilo, fui yo, fui yo, miren la luz de la calle, y lo que todos miran asombrados es la perfecta, temblorosa belleza de las hojas iluminadas por el farol y la luna. En noches de luna llena, dice Cecilia, ustedes no saben lo que es dormirse mirando ese árbol, ¿no es cierto, mi amor? Es cierto. El follaje es compacto, las hojas brillan y ese brillo es otra especie de luz entrando por la ventana, porque lo que nos llega no es directamente la luz, ¿se dan cuenta? El follaje ocupa toda la extensión de la ventana, de modo que la luz que entra a la pieza desde la calle y del patio, la luz de ese farol, en realidad, o a veces la luz de la luna, insiste Cecilia, sí, esa luz nos llega solamente a través de su reflejo en la copa del árbol, son cientos de mínimos destellos llegando a nuestra cama desde cada hoja en movimiento, y ahí todos se maravillan, ya no tan sólo, ni tanto, del árbol en la noche de Ñuñoa, sino de las olvidadas virtudes poéticas de Manuel, qué hace que no escribe su novela, ha descrito la emoción que le provoca el árbol de una manera que los ha emocionado a todos, ¿o no?, pregunta Julián. ¿Acaso no nos puso la piel de gallina? ¡Ah, mijito, si quieren saber lo que es sentir la piel de gallina, dice Cecilia, escuchen esto que les voy a contar: les juro que es la pura verdad.

13

La primera tarde que vinimos a esta casa, cuando esto era una especie de caserón de brujas, una mansión de lechuzas enmalezada, con un patio invadido por la hojarasca y el matorral que había terminado con las flores y había crecido hasta no dejar un solo espacio para poner un pie, y con pozas y sapos y grillos y ratones, y aquí, como les conté, con los pisos sucios y con enormes quemaduras, y con extrañas manchas por todos lados, creí que me moría. Pero luego fui imaginando lo que me decía Manuel, había que mirar la casa, su estructura, sus espacios, sus materiales, y no el abandono, eso se arreglaba con aseo y pintura, porque no había una sola falla estructural, había resistido muy bien el terremoto. Éste último y los otros, dijo alguien y Manuel claro, el de este año y el del 71, esta casa tiene por lo menos cuarenta años y en esa época se construía muy bien en Santiago. Bueno, dice Cecilia, pero déjenme contarles una historia que sí les va a poner la piel de gallina. Yo me convencí de que la casa era una oportunidad única que sería una locura despreciar, pero cuando vine y vi cómo estaba, me cargó, me pareció un horror, perdona, Andrés, no hablo de *tu* casa, hablo de la casa que encontramos, la que vimos esa tarde que te cuento, y si la hubieras visto, te juro que te morías, sobre todo tú que la conociste de otra forma, que jugaste en ese patio cuando niño y que dormías en una de estas piezas, como duermen ahora las niñitas. Mira, era un horror. Y bueno, les cuento. Cuando volvimos esa noche a nuestro departamento de Pedro de Valdivia, nos tomamos un traguito pensando qué hacer, mi papá me había insistido en que la Inmobiliaria disponía de otras casas en bastante mejor estado, y Manuel dale que nos fijáramos en lo principal, la estructura, los desperfectos tenían arreglo, y entonces nos decidimos y lo llamamos esa misma noche, no era muy tarde, no lo sentí muy convencido pero al final nos felicita, el trato entonces está hecho, él nos regala la casa y nos pone un maestro de la Inmobiliaria que en un par de semanas la puede dejar como nueva. Nos dimos un abrazo, descorchamos una botella de champaña, nos achispamos un poquito, comimos y esa noche (yo me había acostado lona total, muerta, no daba más de cansancio) he ahí que tengo, en lo más profundo del sueño, una experiencia que, les juro, no la viví como sueño sino como algo distinto, yo estaba consciente de que dormía, y así dormida oía un ruido rarísimo, algo que nunca en mi vida había escuchado, cómo les dijera, una mezcla de quejido que venía de muy lejos y yo no podía moverme, arropada en la cama, y el quejido seguía y seguía, se transformaba de a poco en el crujido de algo así como una bisagra, y esa bisagra sonaba como un roce, algo que está siendo raspado; después de un rato, pero muy de a poco, cambiando casi sin que lo notaras, se transformaba de nuevo en una voz humana, un quejido, algo que se arrastraba con mucho dolor y que parecía a punto de morirse, o desaparecer en el abandono más completo. Y entonces, probablemente en un segundo sueño, algo que recuerdo en un nivel todavía más profundo, más enterrado, más adentro de mí misma que el primero, descubrí que ese quejido, esa voz dolorosa, esa bisagra, ese lento y constante roer, pero roer con dolor, con lenta desesperación, era el ruido que producía la copa de un árbol empujada por un fuerte ventarrón contra la ventana del dormitorio. Ahora escuchen esto: en el departamento de Pedro de Valdivia ningún árbol se acercaba siquiera a la ventana de nuestro dormitorio, por lo tanto no era una experiencia, digamos, natural o efectiva, transformada en un primer sueño y recuperada en el segundo o en el instante inmediatamente anterior al despertar. No, no era eso. ¿De dónde podía yo sacar esa experiencia? Pues bien: la primera noche que dormimos aquí... miento, la segunda, porque la mudanza estaba terminada, faltaba uno que otro detallito, me acosté tan cansada como esa noche que les conté, de nuevo lona, muerta de agotada, y de nuevo un sueño, el mismo sueño, ¡pero no!, no es el mismo sueño, no es ni siquiera un sueño. Yo creía estar durmiendo, Manuel se había quedado abajo buscando sus fotografías, me voy quedando dormida entonces, y de repente empiezo no a soñar sino a sentir exactamente los mismos ruidos, primero eso que parecía un quejido prolongado, un desgarro de dolor lento y continuo, pero en el límite de la percepción, y luego ese ruido de bisagra, y miro hacia la ventana y lo que está ocurriendo es que el árbol que ustedes ven aquí, empujado por el ventarrón de esa noche, se estrella contra la ventana, pero sus ramas y sus hojas se quedan como pegadas al vidrio y entonces el viento, que las empuja contra la ventana, al mismo tiempo las arrastra a lo largo del vidrio y ese roce, ese raspar la ventana, ese movimiento de las ramas, que al verlo esa noche me pareció el esfuerzo de un cuerpo, de un brazo, de algo humano, de algo que sólo tendría salvación si finalmente terminaba abriendo esa ventana, eso era lo que se transformaba en quejido, en súplica. Ese chirrido lento y continuo de bisagra, un extraño clamor que solamente podía provenir de una voz humana.

Esto me ocurrió aquí mismo, hace apenas unos días. El árbol que soñé en la otra casa era este árbol. El ruido que soñé era el mismo que pude escuchar aquí sin que lo soñara. Y seguramente seguiré escuchándolo en las noches de invierno, cuando sea fuerte la ventolera.

14

Pero claro, hay que seguir mostrando la casa. Quedaron todos tan impactados con el sueño del árbol, el follaje titilando más allá de la ventana, su resplandor multiplicado en las mil esquirlas que produce esa especie de explosión, miles de hojas centelleando mecidas por la brisa. Y con esa imagen, y las expresiones de asombro, van conociendo ahora el baño del segundo piso, pequeño, nada que llame la atención, una cortina rosada separa la tina mínima del espacio también minúsculo en que se aprietan el *toilette* y el lavamanos, no es el baño del matrimonio, claro, eso se nota, piensa Marcela, el baño del matrimonio es parte de la *suite,* éste es para las niñitas, tienen dos baños en el segundo piso, no está mal, piensan mientras van bajando la escalera. Se acabó aquí el paseo, ¿o queda más?, parece que sí porque ya en el final de la escalera de caracol Manuel les dice que la casa sigue hacia abajo, después de ese amplio living-comedor y ese espejo que enfrentan al final de la escalera hay más, algo muy importante. Y entonces vamos bajando, entre el final de la escalera y la puerta de la cocina hay otra puerta, Cecilia la abre, los hace pasar y dice esto que lo muestre Manuel, es su gran orgullo, lo que siempre soñó: un cuarto oscuro para revelar sus fotografías, y Manuel toma entonces la palabra: era horroroso, inmundo, lo más deteriorado de la casa. Parece que nunca entraron aquí las señoras que la arrendaban, digo señoras pero es una forma de decir, vaya uno a saber si fueron esas viejas que nos imaginamos, esas brujas, las que demolieron todo esto. Lo que importa es que aquí se pasó el maestro para hacer maravillas, Manuel acerca la mano al interruptor y prende la luz antes de abrir la puerta que lleva al sótano: tengan cuidado, los peldaños son muy angostos y muy altos. Así, Julia, baja con cuidado, y Julia va poniendo cuidadosamente sus pies sobre cada una de las mínimas superficies de concreto, se apoya en el muro, es áspero, es concreto sin estucar... y va contando los peldaños, sin darse cuenta los va contando. Ya falta poco, dice Manuel, son ocho solamente, ya estamos abajo, miren la estantería: el maestro Barraza la terminó en menos de una semana y fíjense que cubre toda la pared, esto ya no es un simple sótano, es nada menos que mi cuarto oscuro, vean, ahí está el cuartito. Les muestra una especie de cubículo en el cual no entrará ni siquiera un punto de luz cuando se encierre a revelar sus fotografías, y se detiene frente a los estantes que cubren la pared más amplia. Aquí estoy ordenando mis fotos, por fin lo que soñaba, ¿ven?, voy colocando no sólo los implementos en cada uno de los casilleros sino también mis libros, y todo lo que ustedes pueden ver. Pasa horas aquí, sonríe Cecilia, baja después de comer y ya no lo veo más. Claro, uno se entusiasma cuando al fin puede hacer lo que siempre soñó, aquí me quedo entretenido con mis fotos o a veces leyendo. Son ocho, él dijo que son ocho los peldaños, y Julia se ha vuelto, ha dejado el grupo que examina la estantería con el material fotográfico y la pequeña biblioteca de Manuel, y va subiendo de nuevo escalón por escalón, efectivamente son ocho, y son tan altos y tan estrechos, de nuevo está a punto de perder el equilibrio, se apoya en la pared, esa áspera textura en la que su mano helada se detiene, esa textura erizada que parece pegarse a su mano, que parece atraparla, mientras oye como voces muy lejanas los comentarios sobre las fotografías que Manuel les muestra a sus invitados, perdidos en el otro extremo del sótano, ella prendida de ese muro áspero y frío, reteniendo en la memoria la textura del hormigón y el conteo de los ocho peldaños que ha repetido ya dos veces para no equivocarse, son ocho peldaños, mientras su mano siente la fría y áspera consistencia de la pared. Y entonces otras voces, ya no son las que comentan las fotografías, ya no vienen del sótano pero ella las escucha nítidamente, como si las oyera en ese instante, le hablan de ese áspero muro, de esos ocho peldaños, de esa otra escalera, la de caracol, que sube al piso de arriba, y de ese ruido de bisagra oxidada, ese extraño quejido que produce el follaje del árbol cuando es empujado por el ventarrón contra los vidrios de la ventana. Subamos, subamos, oye que dicen ahora y como si despertara de una de sus pesadillas los ve a todos junto a ella, subiendo de nuevo los ocho peldaños para salir del sótano. Vamos a tomarnos un trago, ya terminó el recorrido, ¿vieron que la casa es preciosa? Me cuesta imaginarme cómo la recibiste, dice Andrés, yo tengo un recuerdo tan diferente, no como está ahora, pero era distinta a esa mansión de lechuzas que ustedes me cuentan. Claro, te entiendo, dice Cecilia, ya vamos a hablar más de como estaba, pero ahora un trago, el aperitivo, y después a preparar el asado, hace rato que está listo el fuego en la parrilla, ahora veamos el patio, no se imaginan lo lindo que es este patio. Ahí están los vasos, el hielo y las botellas, cada uno se sirve lo que quiera, ¿todos tienen ya su vaso? Vamos a brindar, dice Manuel. Sí, dice Sonia, vamos a brindar por fin. Por la casa nueva, dice Julián. No sólo por la casa nueva, dice Manuel, vamos a brindar por el regreso de Andrés a su casa: ésta siempre será tu casa, Andrés, puedes venir cuando quieras, eres un amigo, siempre nos acordábamos de ti, ¿no es cierto, Cecilia? Cierto. Pero bueno, no adelantemos el brindis. ¿Todos llenaron su vaso? ¿Falta alguien? No, no, estamos todos. Es que no estamos todos, dice Manuel, sobra un vaso. ¿Quién falta?, y descubren que falta Julia. Claro, falta la Julia. ¿Dónde se habrá metido la Julia?

CAPÍTULO OCHO

15

Julia entró corriendo al baño porque ya en el sótano estaba a punto de vomitar. No puede, claro, recordar en qué momento sintió la náusea, y aquello que venía desde muy adentro pugnando por salir de su cuerpo, eso que su cuerpo (¿sólo su cuerpo?) quería expulsar, eso que ya no podía contenerse entre los límites de su pobre materia, así es que ahora, sentada en la taza del inodoro, apoyando la frente entre sus manos, los codos fuertemente asentados en sus rodillas, trata de recordar. Siente todavía un resabio ácido en la boca, unos escalofríos de los que trata de reponerse buscando una inmovilidad difícil de alcanzar, porque cuando cree que su cuerpo se ha calmado la asaltan nuevos escalofríos, estertores que no puede controlar, estremecimientos que le ponen la piel de gallina. ¿Qué fue entonces ese presentimiento que tuvo en el instante mismo en que vio la casa, más exactamente cuando acercó el ojo a la mirilla? ¿Qué fue lo que gatilló ese miedo? ¿Recordaba acaso los nombres de esas calles? ¿Los asociaba a alguna revelación que explicara esos escalofríos? Al parecer, no podía asociar las calles que formaban esa esquina a ninguna de las denuncias que escuchaba diariamente en la Vicaría... y sin embargo, muy en el fondo, había una certeza en el origen de sus convulsiones: esa casa tenía un pasado que a ella la tocaba más directa y peligrosamente que todo lo que su conciencia o su memoria estaban en condiciones de establecer. Y ahora, luego de expulsar el mal desde sus entrañas, luego de librarse de esa náusea que le había llenado súbitamente la boca con un exceso de saliva y de bilis que no podía contener, y que la hizo correr hacia esa puerta que intuyó era el baño, pues estaba a la salida del dormitorio principal y junto al cuartito lila, y frente a la pieza de las niñitas, y por eso allí se dirigió, eran cuatro o cinco metros, probablemente nada más que eso, pero sabe que debió abrirse paso entre sus amigos que escuchaban la descripción de ese extraño ruido en la ventana, cómo podían ellos saber que eso venía de la ventana, atropelló a alguien en el carrerón pero no recuerda a quién, era el cuerpo de un hombre, sí, sí, el cuerpo de un hombre y después derecho al baño, de la boca va saliendo ya la saliva, esa bilis que no puede retener porque algo que le parece el paladar se separó de ella, no obedece sus órdenes, en este caso sus deseos, su dramática urgencia de impedir que el vómito ocurra sobre ese parquet recién pulido, vitrificado, brillante, y a vista y paciencia de todos ellos, que siguen escuchando la descripción que los anfitriones hacen de la vieja casa y del estado en que la encontraron. Alcanza a tomar la perilla de la puerta, ésta cede al giro de su muñeca, ya está adentro, aún no cierra la puerta pero sabe que no la podrán ver, se ha protegido finalmente de esas miradas, cierra sin poder evitar que el ruido de la puerta sea excesivo, da una vuelta al seguro y levanta la tapa del inodoro, va saliendo ahora lo malo, va cayendo a estertores en el agua limpia de la taza, la va tiñendo de una materia verdosa, la bilis sigue saliendo en arcadas, siente que se ahoga, le duele el pecho, se le tapan las narices con ese mismo líquido verdoso, una espuma amarillenta ahora y un nuevo estremecimiento, una náusea más intensa y el vómito le limpia el estómago de todo. Le cuesta respirar, está medio ahogada, cómo será tener la cabeza dentro del inodoro, hundida en esa miseria avinagrada que es su propio vómito mientras la mano fuerte de un hombre te aprieta la nuca y te la hunde hasta que te sientes al borde de la asfixia, y entonces te suelta, viene un instantáneo alivio y de nuevo la presión en la nuca, de nuevo la arcada, de nuevo la falta de aire y el ahogo que la hace desfallecer, y de nuevo, en ese preciso instante, ahogándose casi, menesterosa de aire, de respiros, la imagen del nogal golpeándose contra la ventana, arrastrando su grueso ramaje por la muralla y los vidrios, haciendo ese ruido de bisagra, de raspadura, de roce dificultado por el moho, de quejido, de lamento que llega desde lejos, pero también de resuello que palpita a tu lado, muy cerca de tu hombro, de tu oreja que se acerca para oír mejor, de tu nariz que huele algo extraño y maldito en el aire. De nuevo ese olor del vómito, esa nueva náusea, y ya más aliviada se sienta en la tapa del inodoro, ahí está ahora recordando lo peor cuando lo peor ya ha pasado. ¿Pero ha pasado? Al menos ahora respira a un ritmo pausado, fuera del ahogo, y siente que cuando inspira a ritmo normal se va recuperando aunque ve borroso todavía, ha llorado, sus ojos están arrasados de lágrimas y con el dorso de su mano helada las va secando, pobre Cecilia, está tan feliz con su casa, pobre cuando sepa, se ha preocupado de todos los detalles, piensa contemplando las dos toallas que cuelgan del cilindro metálico que tiene al alcance de su mano, una es gris, la otra rosada, toma la rosada entonces, la otra es para Manuel, seguro, así como ella tenía una toalla para ella y otra para Carlos, de colores distintos, colores que dicen algo de la curiosa correspondencia cromática que expresa los sexos en el mundo de los objetos que están a la mano, y entonces la mano de Carlos por alguna razón buscaba la toalla gris, la de Manuel seguro que la busca ahora, la buscará esta noche, antes de entrar en la cama en la que Cecilia tal vez lo espera, tal vez duerme, tal vez se hace la que duerme, como le contó. Y mañana, antes del desayuno, la mano de Manuel, y después de muchos años, allí, creen que vivirán allí por mucho tiempo, la toalla gris en la mano de Manuel, nunca más en la de Carlos, ya no, ella no sabe cómo se secaba en el campamento, qué usaban los prisioneros, qué les tiraron a la cara antes de matarlos en medio del desierto, con qué les cegaron primero la última mirada. Julia tiene la toalla extendida entre sus manos para hundir en ella la cabeza, sentir la tenue humedad, esa huella de otras manos en el género, ese alivio rosado en la frente, en las mejillas, ese alivio con olor a jabón y fragancia de mujer en las narices que ya recuperaron el aire y la confianza. El problema es ahora cómo decírselo a Cecilia, cómo y cuándo. ¿Esa misma noche? ¿Sólo a ella? ¿Clavar el puñal aunque no lo quiera? ¿Clavarlo en la herida abierta? ¿Y todo esa misma noche? ¿Todo tendrá que ocurrir precisamente esa noche? No vayas a hacer otra locura, loca, loca, estás cada día más loca, le habían dicho varias veces en la Vicaría, se lo dijeron sus compañeros de trabajo la tarde en que estuvo llorando sin que nadie pudiera consolarla durante horas, loca, loca, y se lo decían como en broma, esa manera nuestra de decir sin decir, de reducirlo todo a banalidad y chiste pero en el fondo diciendo, y en este caso diciéndole loca, no puedes tomarlo todo tan así. ¿Qué era tomarlo tan así? Había escuchado esos testimonios horribles toda la mañana, parte de la tarde, y cuando llegó a la cafetería, ya sin ánimo, sin lágrimas, sin ganas de nada que no fuera borrarlo todo, anular la realidad, anularse ella misma, le dijeron: tienes que aprender a controlarte, para todos nosotros es difícil, pero no podremos ayudar si no somos capaces de controlarnos; y ella no escuchaba, cómo iba a escuchar si esa tarde había oído demasiado en su oficina, un cubículo en que apenas cabía su escritorio atiborrado de carpetas y códigos. ¿Iban a servir de algo esas carpetas con denuncias? ¿Servían de algo esos códigos, las respuestas de esas mujeres que habían concertado una reunión desde hacía algunos días para contar lo que les hicieron en la casa maldita? ¿En qué casa? Justamente para eso eran las entrevistas, para eso se requerían los testimonios, para saber en qué casa, dónde estaba esa casa en la que todas las mujeres entraban y salían vendadas, dónde estaba ese lugar en el que les ocurrió lo peor, algo que en días normales jamás hubieran podido siquiera imaginar. Una casa a la que llegaron ya con la venda sobre los ojos, y las que pudieron salir, las que alguna vez pudieron contar que estuvieron allí, tampoco eran capaces de decir gran cosa de la casa. Pero, ¿era una casa? ¿No sería un cuartel? ¿Sería algo muy distinto a una casa o un cuartel? ¿Una escuela, quizás? ¿O una fábrica? ¿Cómo saberlo, si habían torturado en barcos, en regimientos, en cuarteles, en comisarías, en estadios, en oficinas, en ministerios, en fábricas abandonadas, en universidades? ¿Cómo saberlo? Y entonces ella, Julia, con la misión de oír, de escuchar decenas de testimonios que una vez archivados terminaban ocupando el mínimo espacio de su cubículo en la Vicaría, voces que la seguían en la calle, en el café, en el auto, en el comedor de su casa, confundidas con las palabras desatendidas de su hijo que la seguían hasta el baño —como la siguen a este otro baño donde está ahora—, la perseguían hasta su dormitorio, hasta su cama, hasta sus pesadillas, y entonces, cuando al día siguiente les contaba el sueño de la víspera, las voces de los amigos, ya no de las vendadas, le advertían: si te involucras tanto te vas a volver loca, trata de poner una distancia, cumples con lo tuyo tomando los testimonios, si alguien los lee no va a saber si los escribiste llorando o en paz. ¿Si alguien los lee? ¡Pero qué importaba quién los leyera! ¿Cambiaba eso las cosas? ¿Cambiaba eso la vida de las vendadas, de las violadas, de las aterradas, de las ultrajadas en esa misma casa? ¿Y por qué piensa que es la misma? ¿Tiene alguna prueba? ¿Alguien puede asegurar que ésa era la casa? ¿Una de las casas? ¿En qué punto se encuentran el recuerdo de esas voces y el ruido quejumbroso de esa ventana? ¿Lloraba la ventana, entonces? ¿Eran sólo el viento y el follaje y el vidrio quejándose? ¿O había otro quejido? ¿Otra voz hermanando esa queja, otro dolor, el verdadero dolor disimulado por el sonido del árbol raspando la ventana? ¿Se estaba volviendo loca de verdad? ¿O tenía esta noche la suerte de atrapar algo de razón, el punto en que se encontraban la voz de la Chelita y la descripción de ese ruido fatal que parecía venir de la ventana, de las ramas empujadas por el ventarrón y la tormenta que amenazaban desde afuera? La Chelita era la más pobre de las denunciantes, apenas podía hablar, apenas separaba los labios porque no quería que le vieran ese desastre de dientes perdidos, apenas podía seguir pensando después de lo que allí ocurrió, y ella tratando de calmarla, asegurándose de que estuviera bien sentada, de que no tuviera frío en ese cuchitril de la Vicaría donde tenía que testimoniar, revivir el pánico, volver a tocar lo más negro de su vida. ¿Quiere un café, Chelita? ¿Y también un cigarrillo? Sí, yo sé cómo se siente, pero solamente si usted trata de acordarse podremos saber dónde está esa casa. Claro, ya sé que es difícil si las llevaron vendadas, pero igual tiene que haber algo de lo que se acuerde, un ruido, o algo que tocó, la forma de la pieza en que estuvo los primeros días. ¿Cuántos pasos podía dar? No podíamos caminar. Bueno, Chelita, pero podía oír, ¿qué oía? Nada. ¿Cómo nada?, ¿no llegaba ningún ruido desde la calle?, ¿no sentía a sus compañeras en la pieza?, ¿no lloraban?, ¿no se quejaban? Ve, eso es importante, sabía que eran varias en la pieza; ¿cómo lo sabe? Por los quejidos, claro, tiene razón. ¿Y no le hablaban? No podían hablar. Perdone que escriba, pero su testimonio nos sirve para averiguar dónde está esa casa, usted entiende, claro, por eso está aquí, por eso vino a contarnos... entonces, no podían hablar porque estaban vigiladas. Sí, estábamos vigiladas. ¿Y pudo alguna vez ver a los vigilantes? No. ¿Y por qué no? Porque tenía los ojos vendados. ¿Todas tenían los ojos vendados? No sé, no podía ver. ¿Y podía oír? Sí, a veces. ¿Por qué a veces? Porque tenía miedo. ¿Y no podía oír cuando tenía miedo? No sé. No se podía oír, no recuerdo nada... ¿Nada, nada? No, no recuerdo nada de cuando tenía miedo. ¿Y alguna vez oyó algo?; a pesar del miedo, ¿recuerda algo, algún olor, algún ruido, algo que haya podido tocar?; ya sé que a todas las tenían vendadas... no se ponga nerviosa, Chelita, tómese su café, hagamos una pausa, yo también estoy cansada.

CAPÍTULO NUEVE

16

Antes de ser «la Chelita», aun antes de tener en sus manos rojas por el frío la taza de café humeante que Julia le pasaba cada mañana durante los cinco días en que declaró para el archivo de la Vicaría; aun antes de ese gesto repetido, su mano trémula tomando la taza, la caricia disimulada de Julia en esa mano para que se calmara, no fuera a derramar el café sobre los expedientes o sobre su propia falda, cuidado, Chelita, está muy nerviosa, hagamos una pausa, tómese su cafecito. Antes del calor de la taza, que no empezaba en el agua hirviendo vertida por Julia sobre el café, sino en la mirada que se compadecía con sus lágrimas; mucho antes, cuando advertía que empezaba a temblarle la barbilla, sabía que era preciso parar. Si quiere paramos, Chelita. El calor de la mirada y de la voz, bajita, como inventando un secreto, otra complicidad, es muy importante que no olvide nada, prefiero que me hable cuando esté bien tranquilita. Sí, aun antes de todo eso, sabía que su mano en la de ella, esa disimulada caricia, no era sino el dolor más antiguo de una cobijándose en el sufrimiento reciente de la otra. Y duró, duró mucho más de cinco mañanas, sigue durando todavía, ahora que Julia, encerrada en el baño, escuchando apenas las voces que llegan desde abajo, recuerda esa mañana en que oyó, tan débilmente como estas voces, dos o tres tímidos golpes en la puerta de su cubículo, y quien entró al abrir ella la puerta, quien parecía oscurecer como una sombra más pesada la oscuridad irremediable del pasillo, quien preguntó con voz mínima si ésa era la oficina de la abogado Julia Medina, no era todavía la Chelita, era Graciela Muñoz Espinoza.

Una mujer como hay tantas. Como las que en ese mismo momento subían a una micro o entraban a comer algo barato a una fuente de soda, o simplemente se paraban en la calle porque ya les faltaba el aliento, y uno sabía que en esos huesos esmirriados, en ese rostro oscuro enmarcado de canas, se había acumulado todo el dolor del mundo.

Julia es toda oídos, no quiere sentarse de inmediato a la máquina de escribir. Quiere oírla, quiere que sepa que también ella tiene una herida abierta desde la mañana hasta la noche, quiere que haya una suerte de complicidad. ¿Está cómoda, señora Graciela? ¿Necesita algo? ¿Un vaso de agua? ¿Una taza de té? Y entonces la negativa con un breve gesto de la cabeza, tan tímido como los débiles golpes en la puerta. Viene igual que todas, piensa Julia, no sólo arrastran un tremendo dolor, tienen además un miedo horrible, tiemblan y miran como si estuvieran soltando un interminable quejido, como mira un perro que ha sido apaleado. Tenga confianza conmigo, doña Graciela, vamos a pasar muchas horas juntas, yo voy a tomar un café de todas maneras, si quiere me acompaña, me carga estar tomando café sola todo el día, y ella sí, eso me gusta, el café: antes apenas tomaba, pero ahora último me he acostumbrado. Le apuesto a que necesita varios en el día. Claro, y en la noche, en la noche tarde, cuando una sabe que ya no va a dormir. ¡Y le apuesto a que no es sólo el café! ¿Cómo?, no le entiendo, señorita, no sé qué... ¿Al café no más se acostumbró? Bueno, no sé lo que... Y la mano de Julia ya busca en el fondo de su cartera, saca una cajetilla, ofrece un cigarrillo. ¡Ah, sí, también me acostumbré a fumar...! Sonríe inesperadamente. Yo antes no fumaba... ¿Cómo adivinó? Parece que es bien diabla usted, mijita. Y ahí la primera palabra que abre otra puerta, mijita, es usted bien diabla, mijita, ¿cómo lo supo? Y Julia se dice que no puede contarle que lleva años detrás de ese escritorio tomando declaraciones, escuchando testimonios, contemplando el mismo dolor que va pasando por todos los cuerpos y los rostros que la miran llorosos desde esa misma silla. No puede contarle que ese dolor —que según lo primero que será registrado en la declaración tiene nombre propio, cédula de identidad y domicilio— es idéntico al dolor unánime, es parte de lo mismo, es una mínima parte de lo mismo.

PRIMERO: Graciela Muñoz Espinoza, chilena, casada-anulada, profesora, domiciliada en calle Esperanza Nº 221, departamento A, Comuna Estación Central, cédula de identidad Nº 5.116.753-3 del Gabinete de Santiago, quien bajo la fe del juramento expone que viene a extender la siguiente declaración.

Así empezó declarando Graciela Muñoz Espinoza, sin edad, con todo el tiempo del dolor, una mañana de fines de junio en la Vicaría de la Solidaridad, segundo piso de un edificio antiguo del Arzobispado, en el extremo sur de la misma cuadra donde se eleva la Catedral de Santiago de Chile, frente a la Plaza de Armas, que bien merece ese nombre si se observa que precisamente en la esquina de la plaza que enfrenta al viejo edificio de la Vicaría hay permanentemente varios buses verdes con carabineros armados de pistolas, lumas, bombas lacrimógenas, escudos y otras armas, y más allá de ese alarde de armamento verde, promediando la plaza y frente a la retreta, como si persistieran a pesar de la neblina, los artistas que se reúnen para saber de pegas, averiguar de reemplazos, conseguir un traje de etiqueta o de payaso, una peluca roja o amarilla, ofrecer un loro o los platillos de una prueba de equilibrio, las partituras de un bolero antiguo o de un tango de los años treinta, ofrecimiento que extiende una mano pálida, alba de tanta trasnochada, de tanto sol perdido, como alba es la piel que enmarca esas ojeras azules de los cantantes de la noche, semejantes en su desánimo a los contertulios que frecuentan con idéntica regularidad el otro extremo de la plaza, los cesantes que se reúnen para pasarse unos a otros el diario que compran entre todos, buscando ese aviso que, lo saben, no existe. Lo hacen, en realidad, para sentir muy de cerca que siempre hay otros a los que les va tan mal como al que más, y todo esto envuelto en la neblina y el *smog* del centro de Santiago, todo esto goteando una pena infinita desde los árboles, el llanto de la criatura abandonada en su cuna —una caja de zapatos perdida entre los olores también nauseabundos de la plaza—, aplastada en la caja-cuna por esa marea de sombreros grises, ambos grises, corbatas de un gris levemente más oscuro, y sobre todo la grisura misma en las miradas que van contando las estrías del embaldosado amarillo-pato y manchado con caca de paloma, y de vez en cuando, como si todo esto fuera poco, la dura, rígida presencia de una paloma muerta junto a un banco también muerto de la plaza.

Sí, desde el fondo de esa grisura emergió, la mañana de un lunes neblinoso de fines de junio, doña Graciela Muñoz Espinoza, decidida por fin a entablar una denuncia en la Vicaría.

17

Parece que algo muy especial trajo Graciela Muñoz Espinoza a la Vicaría. Algo que acaparó de inmediato la atención de todo el mundo, y sobre todo de Julia Medina. ¿Era algo realmente distinto o sólo la porfiada reiteración de un sufrimiento y una entereza que parecían no tener paralelo, pero que tampoco parecían tener fin? ¿Qué traía ella desde esa plaza tan sumergida en la pena y la neblina? ¿Qué se quedó porfiando en su pelo, asentado en lo más hondo de la mirada, en la sonrisa escasa que iluminaba apenas lo más oscuro de lo oscuro? ¿Qué traía esa primera mañana en que las palabras apenas salieron de su garganta? Porque apenas salieron de su garganta. Y sin embargo, a pesar de esa previsible dificultad, fue capaz de contar el comienzo de la historia, la detención de ella y de sus dos hijos, aunque no, no se podía contar así, podría pensarse que se los llevaron a todos en el mismo momento, incluso en el mismo furgón. ¿Cómo fue entonces, doña Graciela? Y vamos registrando, ya de vuelta a la máquina de escribir, el considerando SEGUNDO de la declaración jurada que dice así, escuche, a ver si es exactamente lo que usted quiere declarar: Aproximadamente a las 19:00 horas del día antes indicado, en el domicilio nos encontrábamos solamente mi hijo

Rodrigo y yo. En las circunstancias descritas llegaron hasta nuestro hogar seis sujetos, vestidos de civil y portando metralletas. Mi hijo Rodrigo, que a la sazón tenía tan sólo diez años de edad, abrió la puerta de nuestro departamento y estos sujetos se diseminaron por todas las dependencias —¿se qué?—, se diseminaron, se repartieron por todas las dependencias. Yo sé lo que significan las palabras, lo que pasa es que no le había oído, usted lee muy rápido. Bueno, no se enoje, voy más lento. Si no me enojo. Se diseminaron por todas las dependencias, llegando hasta mi dormitorio, en donde yo me encontraba en cama, afectada por una enfermedad. Fui prontamente rodeada y encañonada con sus armas, a la vez que se me interrogaba por una persona a la que llamaban «Lucas». Manifesté no conocer a ninguna persona que respondiera a ese nombre. Sólo posteriormente pude enterarme de que la persona a quien llamaban Lucas era la misma a la que yo conocía por el nombre de Alberto Martineau Hermosilla. Hermosilla, sí, ése era su segundo apellido, por si tiene dudas aquí tengo el recorte del diario. No, no, prefiero que sigamos, dígame qué pasó después, dice Julia y escribe TERCERO: Al contestarles que no conocía a ninguna persona que respondiera al nombre de Lucas, fui amarrada y violentamente golpeada, a la vez que mi domicilio era objeto de un minucioso allanamiento. En este allanamiento fueron encontradas algunas pertenencias de Alberto Martineau, quien había vivido allí hasta la semana anterior. Mi hijo Rodrigo también fue interrogado por estos sujetos y por una mujer que llegó hasta mi domicilio. A Rodrigo lo amenazaron con que me matarían si no les informaba del lugar en que se encontraba «Lucas», vale decir Alberto Martineau Hermosilla. ¿Verdad que no quiere ver el diario? Mire que si nos equivocamos en el nombre completo... No, no, después vamos a corroborar todos los nombres y a hacer un chequeo de las fechas y las direcciones, ahora siga contando, y saca la página de la vieja Smith Corona, pone una hoja de notario en el carrete y de nuevo empieza a oírse el golpeteo de las teclas, confundiéndose con su segunda voz, las palabras de doña Graciela que Julia va traduciendo al lenguaje acartonado, al habla almidonada de los expedientes. CUARTO: Mi hijo Rodrigo fue llevado a un dormitorio, y yo, amarrada con cordeles y con una cinta de *scotch* cerrándome los párpados, fui sacada de mi domicilio. Mi hijo Rodrigo quedó custodiado por dos hombres y una mujer. Pese a estar vendada de la vista pude darme cuenta de que en los alrededores del edificio en que estaba ubicado mi departamento había más personas apostadas, vigilando. Antes de que me subieran a un vehículo oí la voz de un sujeto que a gritos daba instrucciones a otros para que permanecieran en el lugar, vigilando. Aquí una vacilación de Julia y el dedo se detiene antes de caer sobre la tecla. ¿Cómo ponerlo? Ella ha dicho: que a gritos daba instrucciones *a otros.* Y no *a los otros.* Si escribo *a los otros,* se entiende que son los otros que ella ya había visto, que conocía, que sabe de qué otros se trata. Daba instrucciones *a otros* indica que ignora quiénes son, sólo sabe que se trata de esas personas que presintió sin ver, apostadas en los alrededores del edificio, vigilando. Hay que poner entonces *a otros,* y no *a los otros.* La omisión de ese artículo marca la diferencia, la sensación distinta, incompleta, la experiencia amputada, la ceguera que impone la venda. Ahí se abría la puerta hacia lo oscuro, desde ese momento y durante muchos días no iba a poder ver absolutamente nada. ¿Entonces la sacaron vendada a la calle? ¿La vendaron ya en su propia casa? Sí, ahí me vendaron. Ya en la calle no podía ver nada. Sólo reconocí algunas voces de mis vecinas, muy calladitas pero las conocí igual. ¿Y qué decían esas voces? Ahí se llevan a la Chelita. ¿La Chelita?, no puede ser. Se escucha entonces de nuevo el ruido de las teclas. QUINTO: Fui introducida al interior de un vehículo y subieron a él otros cinco sujetos. Después de dar muchas vueltas llegamos al lugar en que sería sometida a torturas e interrogatorios. Al llegar a ese lugar sentí que el vehículo se detenía y tocaban su bocina, después de lo cual sentí que se abría una puerta metálica, la cual cerraron una vez que el vehículo la hubo traspuesto. Me hicieron bajar del vehículo y me quitaron mis especies personales, llevándome posteriormente a una pieza en la cual me dieron instrucciones de permanecer con los ojos cerrados mientras procedían a cambiar la cinta de *scotch* por una venda de género, en tanto que mantenían sobre mis sienes un arma. Pese a encontrarme vendada de la vista, pude percibir que en la pieza a la cual me habían llevado había otras personas en calidad de detenidas. Permanecí en ese lugar durante varias horas, hasta que sentí que se abría la puerta y entraban a una nueva persona. SEXTO: Una vez que entraron a la nueva detenida, me pasaron una mano para que la tocara con las mías, a la vez que me preguntaban si la reconocía. Una voz de mujer me dijo: «Ésta es tu hija». Entendí que la mano que habían puesto entre las mías era de mi hija Loreto, que a la fecha contaba tan sólo con dieciséis años de edad. Mi hija habló para decirme: «Mamá, estamos todos acá», con lo cual entendí que toda la familia se encontraba detenida, incluso pensé que habían detenido a mi hijo Rodrigo que, como expuse anteriormente, a esa fecha tenía tan sólo diez años de edad. Sólo posteriormente supe que mi hija se refería a la detención de mi hijo Pedro y de Alberto Martineau. Hagamos aquí una pausa, Graciela. Vamos a fumar un cigarrito y a descansar un poco, ¿le parece? Como usted mande. No, no, yo no mando. Aquí estamos las dos en lo mismo. Tenemos que saber dónde está esa casa. Si lo denunciamos, tendrán que cerrarla y, al cambiar a esas mujeres, puede que algunas por lo menos queden libres. Pero bueno, no nos ilusionemos. Dígame, en las primeras horas que estuvo allí, ¿recuerda algo especial, algún ruido, algo que haya tocado, antes de tocar las manos de su hija? ¿Sí? Muy bien, voy a tomarlo. SÉPTIMO: Siendo la una o dos de la mañana, aproximadamente, del día 21 de noviembre, fui sacada a un patio y apoyada en lo que podría haber sido el tronco de un árbol muy grande. Estando en esa posición se me insultó, a la vez que me preguntaban si yo prestaría colaboración. Señalé no saber nada que pudiera ser de interés, por lo cual fui violentamente golpeada por dos hombres, después de lo cual me condujeron a una pieza que estaba en los altos, pues tuve que subir una escalera, en realidad me hicieron subirla a empujones, y como tenía la venda en los ojos y las manos amarradas, me caí un par de veces. Mientras me empujaban, me gritaban que allí sí que hablaría. Noté que en el lugar había varias personas más, las cuales me desnudaron, sacándome la ropa a tirones. Encontrándome desnuda fui amarrada a un somier metálico, dándose entonces comienzo al interrogatorio. Me preguntaron si Alberto Martineau era mi jefe. Entendí que les interesaba información sobre la persona que vivía en mi casa y respecto de la cual señalé que había llegado como arrendatario, después de haber publicado yo un aviso en *El Mercurio*. Contesté que no conocía a esa persona, razón por la cual me aplicaron corriente eléctrica en los senos, vagina, dientes y estómago. Debido al dolor y las convulsiones que me provocaba el paso de la corriente eléctrica, se cayó la venda que cubría mis ojos y pude ver que mis torturadores eran seis personas, entre las cuales distinguí a uno gordo, macizo, de pelo negro. También entre los torturadores se encontraba un sujeto de pelo blanco, con las manos manchadas de color café, alto y macizo, el cual debe haber tenido más de cuarenta años de edad. En cierto momento pusieron sobre mi cabeza una capucha, seguramente para evitar que nuevamente tuviera oportunidad de ver sus caras, y me dieron nuevos golpes de corriente, tras los cuales me llevaron de regreso a la pieza desde donde me habían sacado. Parece que había mucho viento, así lo escuchaba yo al menos, silbando muy fuerte, haciendo sonar cartones y latas en la calle, parece que en alguna parte volaron algunos techos. Ahí sentí un ruido raro que parecía otro quejido, pero yo sabía que estaba sola en esa pieza. ¿Cómo lo sabía, Chelita? Mire, cómo lo sabía, no sé, pero sé que sabía. Una sabe esas cosas. Se siente si alguien respira cerca, una está tan atenta a todo. Pero no se oía nada parecido a una respiración, ni siquiera a una respiración ahogada. Era como un quejido lejano, aunque sabía que venía de allí mismo, era como el ruido de una bisagra mohosa, como si estuvieran arrastrando algo muy lentamente sobre una superficie que rechinaba. Después supe que era el ruido del árbol empujado sobre la ventana de la pieza en que me habían tirado, yo creo que ni ellos mismos sabían si para que me recuperara o para que me muriera. OCTAVO: Transcurridas algunas horas, ya en la mañana del día 22 de noviembre fui sacada de la pieza y llevada a otra para un nuevo interrogatorio y tortura. En la tarde de ese mismo día fui sacada para que me peinara, después de lo cual me llevaron a la calle con el objeto de que reconociera a personas y las entregara a mis torturadores. Debo señalar que a estas alturas ya tenía la certeza de que mi lugar de detención y tortura era el Centro de la DINA conocido como La Venda Sexy, en donde diariamente se me aplicó corriente eléctrica. NOVENO: Tres o cuatro días después de mi ingreso a la casa de tortura, llegó allí una mujer que dijo llamarse Jackeline, la cual me contó que ella y su marido venían de Tres Álamos, ya que quedarían libres, razón por la cual incluso venían con sus maletas. DÉCIMO: Debo dejar constancia de que en algunas oportunidades tuve ocasión de escuchar cuando llamaban a algunas personas que también se encontraban en ese lugar, en calidad de detenidas. UNDÉCIMO: Después de haber sido devuelta a la pieza junto con las demás personas detenidas y haber tenido la oportunidad de conversar con algunas de ellas, nuevamente fui sacada de allí y llevada para un nuevo interrogatorio, aplicándoseme una vez más corriente eléctrica. Ahora se me tomó una declaración escrita y se me preguntó quién era mi «jefe», a lo que contesté que no tenía jefe, razón por la cual intensificaron la corriente eléctrica que me aplicaban, hasta que perdí el conocimiento. Desperté cuando me encontraba en la pieza, junto a las demás detenidas, e ignoro cuánto tiempo permanecí sin conocimiento. DUODÉCIMO: En los días posteriores fui obligada a salir a la calle acompañada de mis torturadores, con el objeto de reconocer gente y comprometerla en actividades políticas. Fui llevada a diversos puntos de Santiago, todos los cuales supuestamente serían lugares de contacto para realizar actividades políticas. Fui llevada a la Villa Portales, lugar en que vivía en esa época, con el objeto de que delatara a personas que tuvieran ideas de izquierda. También se me presionó para que delatara a algún colega del colegio donde entonces hacía clases. Como no proporcionara ninguna información que fuera satisfactoria para mis aprehensores, se me llevó de regreso a La Venda Sexy bajo la amenaza de torturarme con electricidad, pero al llegar al lugar constataron que esa tarde no había energía eléctrica, razón por la cual me llevaron a otro lugar cercano en donde me aplicaron corriente, para después llevarme nuevamente a mi lugar de detención habitual. DECIMOTERCERO: Otro día fui llevada a la pieza de tortura y allí, en presencia de mis hijos Pedro y Loreto, fui torturada, procediéndose después, en mi presencia, a torturarlos a ellos. Estos tormentos se nos aplicaban para que proporcionáramos información que nosotros no poseíamos. DECIMOCUARTO: Estando en La Venda Sexy, no recuerdo el día exacto, siendo aproximadamente las tres de la tarde, fui llevada hasta una pieza en que había algunos funcionarios de la DINA y dos personas más, éstas últimas en calidad de detenidas. Se trataba de un hombre y una mujer, a la cual pude reconocer por su voz como la que se había presentado diciéndome que su nombre era Jackeline, que venían de Tres Álamos porque habían sido puestos en libertad y por eso llevaban sus maletas consigo. Durante un rato nos estuvieron leyendo diversos documentos y después fuimos instados a colaborar en su interpretación. Yo manifesté inmediatamente que nada podía aportar, pues nada sabía, razón por la cual fui sacada de la pieza y llevada al patio, donde, después de darme varias vueltas, me dijeron que me aplicarían «el tratamiento». Me preguntaron en esa oportunidad la razón por la cual «Lucas» (Alberto Martineau) vivía en mi casa. Expliqué, como es efectivo, que yo había puesto un aviso en el diario *El Mercurio* ofreciendo una pieza en arriendo, y que ésa había sido la forma en que el señor Martineau había llegado a vivir a mi casa. Tanto mis hijos como yo éramos designados por nuestros torturadores como «el grupo del Lucas». DECIMOQUINTO: Una noche nuestros torturadores se llevaron a mi hija Loreto para violarla, según ellos mismos dijeron. Desesperada por la situación, desperté a las demás detenidas; sin embargo, nada pudimos hacer. Aproximadamente una hora después trajeron a mi hija de regreso a la pieza y ella me contó que había sido constantemente amenazada de violación, e incluso en un momento simularon que lo harían, pero que ello no había llegado a consumarse. Uno de los agentes de la DINA me acusó más de una vez de ser la causante de las ideas de mis hijos, específicamente me decía que yo les había degenerado la mente. DECIMOSEXTO: Cierto día me llevaron a una pieza y allí me mostraron diversas fotografías. Señalé en todos los casos que no conocía a ninguna de esas personas y que, a lo más, en alguna oportunidad había visto las fotografías de algunas de ellas en los periódicos. DECIMOSÉPTIMO: En una de las oportunidades en que fui sacada a la calle para reconocer gente, se me trajo por calle Ahumada, también por Brasil, por Avenida Matta, por Plaza Italia. En ningún momento pude reconocer a persona alguna, razón por la cual me subieron al vehículo y me golpearon brutalmente en varias oportunidades. Como consecuencia de los golpes recibidos, experimenté fuertes dolores que en definitiva derivaron en una intensa hemorragia. La hemorragia impidió que me colgaran, pues ésa era la intención de mis torturadores. Fui llevada, entonces, hasta la pieza junto a las demás personas detenidas y allí perdí el conocimiento, pudiendo recobrarlo solamente cuando me encontraba internada en una clínica dependiente de la Dirección de Inteligencia Nacional. Al recobrar el conocimiento, traté de mover un brazo y recibí la orden de no efectuar movimiento alguno. Pude darme cuenta de que me administraban suero. Pensé en ese momento, puesto que nada veía, que me encontraba ciega, pero después pude verificar que en mis ojos habían puesto apósitos. Sufrí un nuevo principio de desvanecimiento y escuché que alguien decía «se desmayó de nuevo, parece que se va a ir». Sentí que llamaban a un médico, el cual procedió a inyectarme. En el lugar en que me encontraba postrada había otras dos personas. La mujer llamada Jackeline y su marido. A esa altura yo ya no sabía si era cierta la historia o si los pobres habían sido engañados con lo de su libertad y luego tratados tan brutalmente como había sido tratada yo misma. Desde la Clínica en que estaba internada, más bien prisionera, se podía escuchar con bastante fuerza el ruido del cañón del cerro Santa Lucía, por lo cual deduzco que dicha Clínica está ubicada en sus inmediaciones. Al tercer día de estar en la Clínica llegó un agente de la DINA con el objeto de interrogarme. Contesté al torturador que nada teníamos que conversar, pues yo nada sabía. Por negarme a ese interrogatorio fui llevada a uno de los pisos inferiores de la Clínica y allí se me aplicó nuevamente corriente eléctrica, hasta dejarme en estado de seminconsciencia, después de lo cual fui llevada de regreso a la cama y el agente procedió a retirarse. Debo señalar que el personal médico y paramédico de la Clínica constantemente me presionaba para que diera la información que suponían yo poseía. Después de algunos días fui sacada de la Clínica y pude darme cuenta de que pasábamos por un paso bajo nivel. Es mi ánimo dejar constancia de que el personal de la Clínica, en sus conversaciones entre sí, señalaban haber hecho cursos en distintos lugares, entre los cuales recuerdo que mencionaron Cajón del Maipo, Rocas de Santo Domingo, Panamá. DECIMOCTAVO: Cuando fui sacada de la Clínica, ahora con una venda nueva en los ojos, descubrí que hacían lo mismo con la Jackeline, la cual fue introducida también al mismo vehículo. Fuimos llevadas a La Venda Sexy y al llegar a ese lugar nos separaron. Fue la última oportunidad en que estuve junto a la Jackeline. En la noche del mismo día en que me sacaron de la Clínica para trasladarme a la casa de tortura, fui sacada de este último lugar y llevada, en calidad de incomunicada, al recinto de detención conocido como Cuatro Álamos, lugar desde el cual pasé a la dependencia contigua conocida como Tres Álamos. DECIMONOVENO: Estando en Tres Álamos, cuando me correspondía ir a retirar mi comida tuve oportunidad de oír diversos nombres o apellidos que gritaban las personas que se encontraban detenidas en el lugar, y que correspondían a la sección de varones detenidos. VIGÉSIMO: Desde Tres Álamos fui conducida al Hospital Trudeau en razón de que me seguían afectando continuas hemorragias, derivadas de la perforación de una úlcera. Estando en el hospital solicité se me llevara de regreso al campamento de Tres Álamos, pues me resultaba muy difícil soportar la forma en que se me vigilaba. Siempre tuve la vigilancia, al interior de la pieza, de dos policías armados con metralletas, las cuales ellos continuamente hacían sonar al pasarles las balas y orientarlas hacia mi persona. También, pese a que en ningún momento me perdían de vista, registraban las ropas de mi cama y el velador. La situación se tornó más desesperada para mí cuando el día 1º de mayo de 1975 se destinó a seis funcionarios policiales para mi vigilancia y se prohibió el ingreso de cualquier persona a la sección en que me encontraba internada. VIGÉSIMO PRIMERO: Desde el hospital fui llevada a la localidad de Pirque, desde donde fui devuelta el mismo día, junto a una persona llamada Delia Fuentes y otra mujer, al Hospital Trudeau. Allí no fuimos recibidas y se pretendió escondernos en razón de que se esperaba la visita de una Comisión Internacional de Derechos Humanos, para lo cual se intentó internarnos en alguna clínica siquiátrica. También se intentó internar a la persona cuyo nombre no recuerdo en la Fundación López Vega, por razones de leucemia. En definitiva, las tres fuimos llevadas al Campamento de Tres Álamos. Se hizo un nuevo intento en el Hospital Trudeau, pero no se aceptó nuestro ingreso. Debo señalar que el interés por no mantenernos en Tres Álamos se debía a que las tres personas nos encontrábamos enfermas: yo, de úlceras que derivaban en continuas hemorragias; Delia Fuentes, que sufría continuos ataques de epilepsia; y la persona cuyo nombre no recuerdo, como ya lo dije, y que nos contó que sufría de leucemia. En el fondo, se trataba de evitar nuestra presencia ante la eventualidad de una visita de una Comisión Internacional de Derechos Humanos. Finalmente se nos llevó de nuevo a Pirque, desde donde fui traída al Campamento de Tres Álamos el día 20 de septiembre de 1975, dejándoseme en libertad. El día que fui dejada en libertad tuve un incidente que pudo significar la negación de tal beneficio. Consistió en que yo tenía envueltos en un papel de diario un par de zapatos. La hoja de diario contenía una información relativa al MIR, razón por la cual fui llevada a presencia del capitán que en ese momento reemplazaba al comandante, y fui amenazada —por el solo hecho de la información que contenía la hoja de diario— con ser enviada nuevamente a Villa Grimaldi y perder mi libertad. Afortunadamente, esto no pasó de ser una amenaza. VIGÉSIMO SEGUNDO: Encontrándome en libertad y ya en mi nuevo domicilio, fui visitada por Alberto Martineau Hermosilla, quien se interesó por saber cómo nos encontrábamos yo y mi familia. La última oportunidad en que lo vi fue en el mes de noviembre de 1975. Posteriormente me informé de que su cadáver había aparecido en el Instituto Médico Legal, después de ser traído desde los cerros de la localidad de Buin. Este hecho me lo contó su madre, agregándome que un poco tiempo antes de que su cadáver fuera encontrado, Alberto Martineau había sido sacado de su casa por un grupo de funcionarios de la Dirección de Inteligencia Nacional y que ésa fue la última oportunidad en que lo vio con vida. VIGÉSIMO TERCERO: Recientemente, el día 11 de julio de 1978, cerca de las 11:20 horas, llegó hasta mi domicilio un grupo de funcionarios del Servicio de Investigaciones, los cuales preguntaron primeramente quién era el dueño del departamento en que vivo, y posteriormente por mi hija Loreto Rosales. Al preguntarles qué era lo que pasaba y las razones por las cuales se interesaban en mi hija, me contestaron que eran funcionarios de Investigaciones y que venían en un automóvil particular para evitar escándalos. Nos dieron instrucciones para que mi hija Loreto y yo los acompañáramos a Investigaciones, en tanto que uno de los funcionarios registraba el dormitorio de mi hija Loreto. Obedecimos la orden que recibíamos y se comisionó a uno de los funcionarios para que permaneciera en la casa, junto a mi hijo Rodrigo de trece años de edad. Además, a este funcionario que quedó en la casa se le dio instrucciones para que revisara minuciosamente todas las dependencias.

Al llegar al cuartel de Investigaciones de calle General Mackenna nos hicieron pasar, dejándome a mí en una especie de antesala, en tanto que mi hija fue conducida más hacia el interior. En el lugar en que me dejaron, guardaron especiales precauciones, pues a una señora que llegó hasta el lugar se le ordenó que me dejara sola. Después de un rato, un funcionario me pidió todos los datos de individualización y envió a otro para verificarlos. Posteriormente conversó conmigo otro funcionario que tenía la apariencia de ser «el jefe», el cual me explicó que mi hija se encontraba «comprometida», y sin darme mayores explicaciones señaló que quedaría detenida. Dio instrucciones para que dos funcionarios me acompañaran hasta mi domicilio, el cual sería registrado. Señaló que después de esa diligencia me esperaba para que hiciera una declaración. Al salir de Investigaciones con destino a mi casa, y atendida mi experiencia anterior en que había estado detenida ilegalmente por espacio de varios meses, pensé que tenía que buscar la manera de informar de esta situación a alguien que pudiera ayudarnos a mí y a mi hija. Fue así que, aprovechando lo que podría haber sido un descuido de los funcionarios de Investigaciones, me alejé de ellos sin que lo notaran y logré evadirlos. Afortunadamente, la justicia se impuso y mi hija, al ser puesta a disposición de un tribunal competente, fue dejada en libertad incondicional por falta de méritos en su contra. VIGÉSIMO CUARTO: Extiendo la presente declaración con el objeto de dejar constancia de los hechos que me han afectado y como una forma de ayudar al esclarecimiento de la verdad en lo que se refiere a la situación de personas que estuvieron detenidas junto a mí en los recintos que he mencionado, y que actualmente se encuentran desaparecidas. Faculto para que la presente declaración sea utilizada en lo que fuere necesario. Firme aquí, Chelita. No, no, espere, tiene que calmarse, está temblando, si me hace un borrón hay que escribir esta página de nuevo. ¿Quiere un café? No, gracias, yo estoy muy calmada, señorita, y a usted sí que la veo nerviosa. Sí, es verdad, perdóneme, voy a dejarla sola un ratito. No veo para qué me hace contar estas cosas si se va a poner a llorar. No se preocupe, Chelita, ya vuelvo. Es que si le va a dar tanta pena, para qué estamos en esto, digo yo.

CAPÍTULO DIEZ

18

La mariposa de luz va y viene, revoloteando desde la oscuridad hacia el resplandor intenso que rodea la ampolleta. Va y viene, aturdida, se da contra el techo de la galería, desciende hasta la primera humareda del fuego recién en sus aprontes, hasta el brazo de Manuel encendiendo el espino, agregando pelotitas de papel por los cuatro rincones de la parrilla, acercando un fósforo y entonces el primer resplandor, las primeras chispas en el comienzo de las brasas, y esa primera humareda ahuyenta a la mariposa, la envía de nuevo a cumplir su asedio errático hacia el corazón de esa aureola que va quemando sus alas. Manuel siente el revoloteo de la persistente vecina en torno a su cabeza, estrellándose contra sus brazos, la expulsa con gestos rápidos, como si no sólo quisiera alejarla, como si en uno de esos manotazos quisiera terminar para siempre con el juego. ¿No se parecen, acaso, en sus asedios al fulgor y en sus fugas hacia esa periferia oscura? Pero hay mucho humo, habrá que pedirle a la Berta que traiga el secador de pelo, le dijeron que era lo mejor para alentar el fuego en los inicios. Va entonces a la cocina, Berta, traiga el secador de la señora, y Berta claro, don Manuel, voy al tiro, y sale hacia la escalera de caracol, Manuel oye sus pasos subiendo los peldaños, aprovecha de probar el segundo jarro de pisco *sour* que Berta estaba revolviendo cuando él entró en la cocina, un rápido chequeo aunque no es su responsabilidad, él sólo responde por el asado pero veamos, y siente una alegría súbita al contemplar la perfecta plasticidad de las fuentes, el colorido intenso de las ensaladas, los tomates rojos lubricando el recipiente de madera, y las lechugas, en tres fuentes de cerámica azul, alardeando su desorden verde, su desborde, y otra rebosante de habas tiernas, desnudas de su hollejo, reluciente desnudez empapada en aceite de oliva y alhajada con mínimas blancuras nupciales, el velo de la novia, la cebolla picada con esa maestría que sólo Berta, y entonces no puedo entrar al baño, don Manuel, está ocupado. ¿Y por qué al baño? Está distraído, en ese otro mundo que le proponen estas fuentes que contienen otra forma de la perfección posible, es que ahí tiene el secador la señora, don Manuel. No se preocupe, páseme un cartón que sea firme, algo como eso, ¿ve?, como la tapa de esa caja y ya está de nuevo junto a la parrilla, atrayendo el revoloteo idiota de la mariposa, qué raro, si están todos aquí, Andrés —el huésped especial— en una de las sillas de lona que pusieron sobre el césped, en animada charla con Sonia y Julián, que tiene a su mujer abrazada por el hombro, y en el otro grupo, bajo la galería, sentados en los sillones de mimbre que hay en el extremo derecho de la terraza de baldosas rojas que relucen, Cecilia contándoles a Marcela y Cristián cómo hubo que arreglar el jardín y cuánto costó hacer esta galería que en las noches de verano les va a permitir gozar de una terraza maravillosa. Falta Julia, entonces. Es la Julia la que está en el baño, recuerda lanzando un nuevo manotazo hacia el revuelo ya más aturdido que ronda su cabeza, que se estrella contra su frente dejándole allí el vestigio de un polvillo tenue que brilla a la luz de la ampolleta, pero que Manuel siente y palpa y admira en su efímera manifestación dorada antes de volver a las tareas del asado, antes de preguntarse si esta noche en que todos celebran, en que al menos todos tienen su vaso de pisco *sour* en la mano —algunos ya van en el tercero— y de vez en cuando ríen, y se oyen cada cierto rato las risas que vienen desde el trío Andrés/Sonia/Julián, que conversa animadamente en el césped, y también desde el otro, Cecilia/Cristián/Marcela, que avanza su parloteo aparentemente más serio, más secreteado, en la otra punta de la terraza... sí, antes de preguntarse si esta noche, en la que todos parecen celebrar o al menos estar en disposición de hacerlo, es para él también una ocasión de celebraciones. Antes de preguntarse por qué, ahí está de nuevo la mariposa, borrosa en su coqueteo con la luz y con las sombras, aturdida y cansada, satisfecha y plena, volada de libertad e indeterminación, sin saber qué sigue al vuelo, qué hay después de ese juego de luz y sombra, qué sino la pura sombra ineludible, lo siempre oscuro, la eterna nada que sigue al manotazo de Manuel que acierta y esa consistencia que antes revoloteaba ebria de vida se deshace en un montoncito de polvo que si se lo mira parece de oro. Como lo observa ahora Manuel, alumbrando esa quietud de muerte con la luz que ya no existe para ella. Sopla ese polvillo que todavía reluce, se limpia las manos con su pañuelo, agita con fuerza el cartón sobre las brasas y se pregunta, ahora sí, qué diablos es lo que está celebrando él con este asado. Y se pregunta dónde está él en este juego de inauguración y de fiesta: si más cerca del resplandor o más bien del lado oscuro de la aureola.

19

Unos diez metros más allá de lo que fue el revuelo terminal de la mariposa, y mientras Manuel sigue buscando en su mano derecha un vestigio de la huella dorada, en las sillas de lona que han puesto sobre el césped, Andrés, con la pierna izquierda estirada y flectando la otra en una pose de cómodo abandono, escucha las preguntas de Sonia y de Julián, les cuenta de esos años del lado de allá, recuerdan a Cortázar, la explosión que fue *Rayuela* en los patios y las aulas del Pedagógico, y en las tertulias de Las Lanzas y Los Cisnes, y ya sin darse cuenta están de nuevo en el lado de acá, como debe ser, donde habría que estar y ser, muy naturalmente, sin tensiones, sin miedo, aunque a poco andar la conversación cae inevitablemente en el tema del miedo y del estrés, en esa forma anormal de vida en que se ha transformado la existencia en el lado de acá. Andrés sentía en la actitud de Julián, en la forma como trataba de acentuar su atención en cada frase suya, una cortesía exagerada que intentaba ocultar un temor, la sospecha de que algo relacionaba a Sonia con Andrés no sólo desde esos días conversados en los cafés cercanos al Pedagógico, sino en algo más actual, mucho más presente. El recuerdo de dos es presente. Tal vez la forma más emocional de vincular a dos personas. Y de ese presente que se disfrazaba de menciones al pasado él se sentía excluido. Acercaba entonces su rostro al de su mujer, le ofrecía otro pisco *sour*, apretaba su mano con más intensidad, y eso lo advertía Andrés, y lo sentía Sonia, y ambos se comunicaban a través del miedo de ese hombre que intuía la pérdida. Sonia buscaba algún tema que de pronto transformara a su esposo en protagonista, algo que se pudiera contar, al menos algo que él pudiera contar, pero él insistía en preguntarle a Andrés las cuestiones más obvias, cómo encontró a sus padres, cómo ve a Chile, cuánto tiempo va a quedarse, y Andrés responde consciente de que esas preguntas son una formalidad requerida por el miedo. Sabe perfectamente que Julián teme una próxima intimidad de Sonia con él, y que toda su conducta está contaminada de ese pavor. Lo que Julián ignora es que esa intimidad ya se produjo, y no sólo la tarde que estuvieron en el hotel. Esa intimidad estaba allí, existía, era incluso anterior a su matrimonio con Sonia. Lo nuevo era este tardío despertar de algo que durmió doce años; lo nuevo era el regreso de Andrés, este regreso que no era en verdad regreso. ¿Se queda ya definitivamente? No, voy a estar aquí nada más que un par de semanas. ¿Viene tu mujer?, pregunta Sonia como si no supiera nada del asunto, quiere que Julián escuche que Andrés tiene mujer. Estamos tratando, pero no es fácil. ¿Por qué no es fácil?, pregunta Julián. Porque obtener una visa de salida de la RDA es muy engorroso. ¿Incluso si están casados? No estamos casados. ¿Y por qué no te has casado?, pregunta Sonia como si no la afectara, como si no hablara de alguien con quien estuvo haciendo el amor en un hotel hace apenas dos tardes. Bueno, tú sabes que no he podido separarme. ¿Todavía? Todavía. Y Sonia se queda mirando sin disimulo al trío que conversa allá en la terraza: Marcela se lleva en ese momento el vaso de pisco *sour* a sus labios y sólo los humedece con el trago agridulce.

Sonia pregunta de nuevo, ahora más interesada en la respuesta:

—¿No te ha dado el divorcio?

—Es que no hemos hablado nunca del tema. Cuando se vive en otro país, tan lejano y tan distinto en costumbres, eso ni siquiera aparece en el horizonte de tus preocupaciones.

—Pero quieres casarte, supongo.

—No sé.

—¿Cómo que no sabes?

—No sé, créeme.

Y entonces Julián:

—Si vive feliz con su pareja alemana, no entiendo por qué tendría que separarse. Esos juicios de divorcio son interminables, tú lo sabes.

Y Sonia, mirándolo directamente a los ojos, como si Julián no existiera:

—Y si quisieras casarte de nuevo, aquí, con una chilena, ¿cómo lo harías sin arreglar lo de la separación?

—Ni lo he pensado.

—¿Y cómo hizo la Marcela? ¿Cómo es que está casada? ¿O no están casados?

—Sí, están casados.

—¿Y cómo?

—Porque ella hizo un juicio de nulidad aduciendo que yo estaba desaparecido. Abandono de hogar por más de diez años.

—¿Y tú estás de acuerdo con eso?

—Ella tiene derecho a regular su vida, creo.

—Pero tú no eres un desaparecido.

—Sí, en cierto sentido lo soy. No era ubicable en el país.

—¿Y eso te parece bien?

—Sí, claro. Era la forma de terminar con nuestro matrimonio sin un largo y costoso juicio de nulidad. Alguna ventaja debe tener vivir más de diez años fuera de tu país.

—¿Y tu hijo?

—Creo que para mi hijo era mejor esto. Que tuviera una nueva familia.

—¿Y también una nueva paternidad?

—No una nueva. La única paternidad verdadera.

—No te entiendo.

Y Julián:

—Yo sí lo entiendo.

Y ahora siente Andrés una cercanía verdadera, como si el miedo muy certero que intuyó desde que se conocieron dejara una grieta y, a través de esa grieta, ambos hombres pudieran comunicarse.

20

Cecilia ya había advertido un par de miradas insistentes de su amiga Sonia, que desde el trío —o triángulo— que charlaba en el césped le hacía un mínimo gesto, algo más que un saludo, más que una sonrisa amistosa, casi una prolongación de esa mirada que buscaba llamar la atención de Cecilia. Ésta vuelve ahora sus ojos hacia la pareja Marcela/Cristián, les sirve otro pisco *sour,* quiere preguntarle a Marcela por Andrés pero no desea ser impertinente con Cristián, pero cuando ya ha renunciado al deseo de saber, es la propia Marcela quien le cuenta.

Hace dos noches, cuando Andrés fue a ver a su hijo Matías, ella lo sorprendió llorando. ¿Llorando? Sí, en la pieza de Matías, ese desorden descomunal que es la pieza de Matías, zapatos y medias de fútbol repartidos por todas partes, y sus *jeans,* de los que se sale, porque no se los saca, literalmente se sale de ellos, por arriba, por encima de ellos como quien dice, y deja ahí en el medio de la pieza dos lulos, dos círculos de mezclilla en torno a las zapatillas de básquetbol, y entonces lo habían llamado: Matías no tiene teléfono en su pieza. Menos mal, comenta Cristián, si no, estaríamos arruinados. Es verdad, se lo tuvimos que sacar de la pieza para que hable desde el living o desde la cocina, así lo podemos controlar. ¿Le controlas las llamadas?, pregunta Cecilia. No, cómo se te ocurre, a esta altura qué puede controlar una, apenas la duración de las llamadas, tú me entiendes, este niño puede pasarse tranquilamente un par de horas pegado al teléfono. Bueno, el hecho es que bajó a contestar una llamada, Andrés había llegado hacía una hora y estuvieron conversando en la pieza de Matías. Entonces Matías baja, Andrés se queda solo en la pieza... Yo pasé hacia el baño, vi la puerta abierta y detrás de la puerta a Andrés que tenía una de las zapatillas de Matías en la mano y la miraba.

(Estaba sentado en la cama mirando esa Adidas como si en el cuero sucio, ajado, verdoso por el roce del pasto, se escondiera una verdad que él había venido a buscar expresamente detrás de esta cordillera. Y esa verdad, al menos parte de ella, estaba en esa pieza en desorden, escondida tal vez debajo de esa cama sin hacer o en el olor fuerte de esas zapatillas que tenían ya incorporado algo de su hijo. Descubrió que eso era lo que le estremecía el alma: que esa zapatilla vieja tuviera más de su hijo que todo lo que él tenía de Matías. Había sido difícil conversar esa tarde, los temas iban saliendo como con un tirabuzón, ni a él le interesaba el mundo exitista, ese paraíso de ofertas que a Matías lo entusiasmaba hasta la exaltación, ni a Matías tenía por qué interesarle esa capillita culta en la que él se había refugiado para no contaminarse con el mundo.)

A todo esto, continúa Marcela, mucho después de que salí del baño, ya de vuelta en mi dormitorio —me estaba arreglando, esa noche teníamos una comida y Cristián me pasaría a buscar a las nueve en punto—, me di cuenta de que Matías seguía abajo hablando por teléfono, y hacía más de una hora que Andrés lo estaba esperando en su pieza. Una hora, porque yo ya estaba lista cuando al salir del dormitorio y caminar hacia la escalera miré de nuevo hacia la puerta entreabierta de la pieza de Matías. Ya era tarde, estaba bastante oscuro. La verdad es que casi no se veía y seguro que por eso él tampoco se dio cuenta de que yo estaba junto a la puerta. Desde allí apenas distinguía una sombra inmóvil, sentada en la cama, con la vista fija en la zapatilla de Matías entre sus manos. Iba a decirle algo, quería que sintiera que yo estaba allí, no me gustaba espiarlo sin que lo advirtiera, y entonces le voy a hablar y oigo un ruido raro, pensé primero que uno de los gatos había subido al segundo piso, pero después me di cuenta de que eso que se oía tan raro, como un quejido que venía de muy lejos y que sin embargo estaba ahí, al lado mío, era el llanto de Andrés, que al final lloraba con verdaderos sollozos, el pobre.

Sí, Andrés también recordaba que había llorado con sollozos. Por algo en ese momento lo recuerda. A unos siete metros del trío Marcela/Cristián/Cecilia, sin saber que en ese instante hablan de él, sospechándolo tal vez por la oblicua mirada de Cristián y también de Cecilia, pero sobre todo por la no mirada de Marcela, que no deja de hablar en sordina, sin dirigirle la vista ni siquiera una vez.

(No habían podido hablar tal como él, como seguramente ambos, desde hacía mucho, habían deseado hacerlo. El niño, ya un hombre de dieciocho años, listo para entrar a la universidad, lo llevó en el auto de Marcela a pasear por los famosos caracoles y las supertiendas del barrio alto. Estaba seguro de que ingresaría a la universidad. Seguro también de que iba a ser la Universidad Católica, la única a la cual entraría, o en el peor de los casos a otra privada con especialidad en Ingeniería Comercial. Puedes luego dedicarte a la docencia, le había dicho Andrés para hacer más soportable la idea de un ingeniero comercial de la Católica, y Matías respondió francamente que eso sería lo último a lo que se dedicaría, los sueldos eran muy bajos y hoy nadie sentía el menor respeto por un profesor, aunque fuera universitario. Volvieron cuando ya oscurecía. Subieron a la pieza. Andrés se puso a revisar los CDs de su hijo; buscaba algún objeto, una huella, el vestigio de una posible identificación, una complicidad. Estaba en eso cuando sonó el teléfono. Matías bajó. Pasó un rato largo. El sol primero, y luego la luz, se fueron de la ventana. Afuera el jardín se ensombreció. Tenía que caminar hasta Apoquindo, y se dio cuenta de que no quería que fueran a dejarlo. ¿Qué hacía ahí? Desde abajo llegaban como un débil signo conocido la voz de su hijo y sus risas al teléfono. Desde más cerca, el ruido de una llave de agua corriendo en un baño cercano. Se sentó en la cama. Tomó una zapatilla que había sobre las sábanas deshechas. La palpó buscando algo, la llevó a sus narices, metió la mano en su interior todavía húmedo, había allí una especie de calidez que se le había resistido toda la tarde. Pensó que su padre lo había estado esperando, aun cuando sabía que no iba a volver sino ya entrada la noche. Pero igual lo había estado esperando. Esa sombra que pasó más allá de la puerta, deslizándose descalza desde el baño al dormitorio, era Marcela, era su primera mujer. ¿Cuándo había ocurrido eso? ¿De qué estrato geológico de una vida remota emergía esta mujer que hoy le parecía el más extraño de los seres, la persona más inabordable, lejana y perdida como un sueño olvidado? ¿Qué hacía él en esa habitación desordenada y en penumbras, solo, involuntario vecino de su ex mujer que en el dormitorio de al lado, desnuda, recién salida del baño, se viste y se acicala para otro hombre que vendrá a buscarla dentro de poco? ¿Qué hacía en este país extraño, distinto del que había dejado, distinto también del que había esperado encontrar, y sobre todo definitivamente distinto del que hubiese deseado encontrar? Esas palabras, que allá conformaban un universo lejano pero con sentido, añorado dolorosamente pero sin embargo familiar, habían perdido con este transitorio retorno esa aureola de irrealidad que las hacía encajar en el orden de las cosas sabidas. Primera mujer, hijo, padre y madre, hermano Sergio, casa de la infancia, ciudad de la juventud, eran nociones certeras que habían uniformado el recuerdo y estimulado, con su sola mención, el deseo del regreso. Los hechos, la realidad del retornado, *la réalité, monsieur; reality, my dear; Wirklichkeit oder Realität?*: *primera mujer* era ahora esa sombra en ropa interior negra, descuidadamente envuelta en su bata de baño, que se atrevió a dar una mirada de reojo cuando él estaba metiendo sus narices en la zapatilla de Matías. *Hijo,* ese joven que sueña con lo que él repudió, ese ángel en negativo que adora lo que él quemó y quema lo que él adoró; que lo mira con penosa indulgencia, con arrogancia en realidad; que desde hace más de una hora habla por teléfono en el primer piso. *Padre,* el que lo está esperando ahora; el que lo estuvo esperando doce años; el que ha sido capaz de sobrevivir para esperarlo; el que ha transformado este tardío viaje en un regreso a la semilla; el que le muestra en su precariedad actual el espejo de su inevitable futuro. En él y en todo esto estaba pensando, con su mano derecha en el interior de la zapatilla Adidas de su hijo, cuando sintió que empezaba a temblar sin que tuviera conciencia de esa zapatilla, ni del desorden de sábanas en la cama en que estaba sentado, ni de la pieza con *posters* de estrellas que no formaban parte de su universo, porque el temblor venía desde muy adentro, se contenía en los límites de su propio límite, en su cuerpo convulsionado por estertores que no sabía cómo evitar, que no intentaba siquiera evitar porque lo que ahora hacía era buscar el pañuelo para secarse los ojos y ahogar con esa mordaza el sonido de un llanto que él mismo no conocía, para que nadie fuera a darse cuenta, no sea cosa que el hijo se aburra en el teléfono y venga a decirle bueno, tengo que salir, si quieres me llamas antes de irte.)

Así es que estaba llorando. Sí, aunque no me crean, estaba llorando. Pero ahora se está riendo, dice Cristián dirigiendo la vista al trío que conversa animadamente en las sillas de lona sobre el pasto del jardín. Sí, es verdad, aceptan Marcela y Cecilia, incómodas por la incongruencia entre la escena sentimental que había empezado a conmoverlas y las risas de Andrés que llegaban hasta ellas como el revuelo incómodo de otra mariposa. Déjenlo tranquilo al pobre, dice Marcela. Sí, la imita Cristián, déjenlo al pobre; y mirando fijo a su mujer, clavándole en los ojos su reproche, agrega: ¿no ves que está flor de coqueteo con tu amiga Sonia? Y como advierten que Andrés también los está mirando, levantan sus vasos, comparten su brindis con el otro trío, y cuando todos recuerdan que el dueño de casa está ocupadísimo con el asado, dirigen sus vasos hacia Manuel para hacerlo participar del brindis por la casa nueva. Las seis miradas lo capturan en su aspaviento ridículo: lo ven lanzando su brazo al aire en la cima de un salto modesto y registran el instante en que da el manotazo y luego aprieta su puño con gesto victorioso. Acababa de terminar con el molesto revuelo de la mariposa.

CAPÍTULO ONCE

21

Julia sintió que un golpe la demolía: el miedo estaba ahí otra vez. Parecía ya tan lejano el alivio de esa noche anterior, ir entrando en el sueño de manera distinta porque algo tonto y al mismo tiempo esperanzador acababa de ocurrir: Andrés la había besado. El abrazo en la puerta al despedirse, la sorpresiva —y al mismo tiempo esperada— cercanía de los cuerpos en esa especie de cobijo, y de atracción, y de necesidad presentida desde el primer reencuentro, culminando en el roce de las mejillas, en la rápida caricia que los labios de Andrés pusieron húmedamente en su frente, y luego en la definitiva locura de esa otra humedad animando los labios y luego las lenguas. Se durmió con una confianza nueva, la certeza de que después de tanto tiempo y tantas caídas —una sola, tal vez, que ya no tenía principio ni fin—, la humedad de un beso era la cercanía, lo que llegaba tocando, lamiendo, curando. Volvió al comedor para apagar las luces y subir a su dormitorio. Desde la ventana lo vio alejándose, apegado a la sombra de los árboles, apurado, girando para mirar hacia atrás, no a ella sino a la otra sombra posible, eso que se teme en la oscura soledad de una calle. Cuando fue apenas una mancha de claridad trémula, Julia se quedó un momento para contemplar las carpetas, declaraciones, denuncias y expedientes que se habían ido desordenando sobre la mesa, como si fueran extraños animales con vida propia, y sintió de pronto, casi con miedo, o al menos como un sobresalto, que esos papeles e incluso las voces que hablaban desde ellos, que rogaban desde ellos y que desde las frases repetidas seguían llorando, eran lo contrario de la humedad y de la cercanía. Eran lo seco, lo muerto que se perpetuaba, lo contrario de la tibieza que volvía a sentir. Tuvo la intuición de que esos testimonios repetidos hasta el infinito iban a ser desde ahora para ella algo muy distinto, ya no esa suerte de savia de la que creyó vivir cuando en realidad sólo había estado muriendo, sino el cumplimiento de una tarea urgente e inexcusable. Sí, ahora se podía ver y sentir así. Mañana volvería a esas carpetas, seleccionaría lo que le pidió el Vicario, una veintena de testimonios que dejarían en evidencia la existencia de casas de tortura clandestinas, moradas del horror que una red de funcionarios administraba y conocía. Le habían sugerido que se dedicara de preferencia a los casos de mujeres torturadas, y que seleccionara los párrafos de las denuncias que permitieran detectar señales de la ubicación o las características de esas casas. Durante toda la tarde estuvo leyendo esos testimonios y pensó que le bastaría un par de horas del domingo para completar lo encomendado para el lunes. Estuvo leyendo mientras en un segundo plano de su conciencia —¿o sería el primero?— recordaba la «cena danzante» de aquella noche y los tragos de amanecida, la claridad celeste despertándolos de ese sueño de caricias reprimidas y besos esquivos que formaban parte de un juego cobarde entre adultos.

Y ahora, encerrada en el baño del segundo piso, mientras escucha las risas que llegan desde abajo envueltas en los primeros aromas de las salsas y el chisporroteo de las brasas, ahora que recuerda palabra por palabra los testimonios, se ve a sí misma la noche anterior junto a la mesa, examinando las carpetas, sintiendo de otra manera su casa vacía, imaginando los pasos de Andrés ya en otras calles, tirando sus colillas encendidas sobre otras veredas. Sí, lo que enciende y da vida se reconoce de inmediato, no puede existir sin que se tenga la conciencia de que existe. Es lo contrario de la simulación o la búsqueda de coartadas. Es lo que es. Es lo que se sabe que es. Y sin embargo, a pesar de esa certeza, como si navegara una contracorriente que la pone de nuevo en el momento anterior al beso, incluso en el momento anterior a la visita, en el momento en que lee los testimonios como lo ha hecho durante años en la Vicaría y en los tribunales y en el café del Paseo Ahumada, y en el comedor de su casa, y en su propia cama, así, puesta de ese lado del tiempo, retraída a ese sentir que por unas horas creyó superado, está ahora de nuevo escuchando minuciosamente esos testimonios. Huele no sólo las fragancias que llegan desde el jardín y la cocina, sino también los olores descritos en los testimonios, los peldaños que se cuentan una y mil veces, el ruido del árbol contra los vidrios de la ventana, la suma de voces que van construyendo con su rumor una casa que es idéntica a ésta que ahora la encierra a ella, ya no sólo a las últimas ocupantes ultrajadas. La aprisiona en este baño junto a todos sus recuerdos, todas esas palabras resonando desde su oficina: ¿otro cafecito, Chelita?; desde el comedor de su casa: ¿tienes que leer todas esas carpetas, mamá?; desde el auto hacía poco más de dos horas: ¿y han descubierto alguna casa con ese sistema?, Andrés escéptico pero respetuoso de su empeño, esa porfiada ilusión, lo que ha venido haciendo todos los días durante los últimos años. Ella siente que esas voces, el coro completo, no sólo el llanto de las torturadas sino también las palabras cálidas de su hijo que renuncia a su compañía antes del sueño, de sus amigos, tienes que cuidarte, flaca, andas muy nerviosa con todo esto, deberías pensar en unas vacaciones; las palabras del Vicario y, desde hace un par de días, las de Andrés: todas forman el coro, todas hacen el llanto, todas gritan la vida. ¿Cómo pudo pensar que algo decisivo podía cambiar en su vida, si su vida y la de todos en nada había cambiado? ¿Cómo llegó a creer que era posible firmar un armisticio por su cuenta? ¡Si pensó incluso comprarle una corbata! Es más: mientras leía esa tarde los testimonios, descubrió que no estaba realmente leyéndolos sino pensando en una corbata. ¿Por qué en una corbata? La idea del regalo, es cierto, estaba justificada por un comentario de Andrés la noche en que convinieron ir juntos al asado en casa de Cecilia. Dijo, como al pasar, que ojalá no trasnocharan, la noche siguiente cenaría con toda su familia, iban a celebrar su cumpleaños. «Afortunadamente, las comidas en familia son pecados veniales, lo terrible son los encuentros con los amigos, ya tengo el hígado hecho pedazos... Pero en realidad no es tan grave, allá se practica el mismo deporte con prolijidad alemana.» Estaba de cumpleaños, entonces, en la víspera del asado, irían juntos a la nueva casa de Cecilia y lo menos que podía hacer era esperarlo esa noche con un pequeño regalo, un gesto de cariño para el retornado. ¿Eso no más? Sí, sólo eso, se mintió, pero en ese momento *nos llevaron entonces a Jackeline y a mí al sótano, eso significaba bajar a empujones la escalera hasta el primer piso y luego esos ocho peldaños tan empinados, era imposible no caerse, sobre todo si una iba con los ojos vendados.* ¿Qué? ¿Qué estaba leyendo cuando su imaginación se entretenía eligiendo los colores de la corbata? Porque lo mejor sería regalarle una corbata, era menos comprometedor, casi impersonal, todo el mundo le regala corbatas a un hombre maduro el día de su cumpleaños. No todo el mundo, se dijo desde el reproche que la fustigó junto a esa suerte de revelación. No todo el mundo está pensando en regalar una corbata en el instante mismo en que lee cómo dos mujeres son empujadas hacia un sótano donde van a ser torturadas. Y era tan fuerte, sin embargo, la idea de la corbata, tan natural; ¿le gustaría? Y más que eso: ¿qué pensaría él si le regalaba una corbata? Iba irrumpiendo con tanta fuerza la simple normalidad de las cosas, la hermosa normalidad de la vida sin excesos, sin *esos excesos,* la palabra mentirosa que mencionaba de esa forma el crimen. Recuerda ahora que mientras iba encendiendo un cigarrillo tras otro, convencida de que leía los testimonios igual que en la Vicaría, donde también leer esas líneas terribles y fumar eran una misma cosa, advirtió que el acto de fumar carecía ahora de excusa, pues la verdad es que no estaba entendiendo lo que leía, ni siquiera estaba leyendo: estaba pensando en Andrés. En su cumpleaños de la víspera con su familia; en su padre hemipléjico; en la mentira piadosa para que el viejo no tuviera una recaída; toda esa materia viscosa que envolvía en la misma mentira el dolor verdadero y los engaños generosos que nada reparaban. Acepta entonces la verdad, no te queda sino aceptarla, allí están la fuente y la fuerza de tu resurrección. No fue el beso, no fue esa humedad en tus labios, la vida que creías definitivamente enterrada. No. No fue el beso de esa noche, en el instante anterior al retorno a las carpetas apiladas sobre la mesa del comedor; fue antes, incluso antes del beso, en esa tarde que precedió a la humedad y la cercanía, la tarde en que estuvo leyendo —como en la Vicaría, pero esta vez en su casa, esperándolo—, que ocurrió el olvido: se había puesto a pensar en ese cumpleaños y en los coqueteos de la primera y la segunda noches, y en lo que esperaba de esta tercera que se acercaba tan despacito, llena de todo eso que a la vez ella quería y no quería, lo que en el fondo había estado esperando, con temor, desde hacía mucho tiempo, sin saber que sería así, exactamente así de simple: la ansiosa espera de un timbrazo. Pasa, ya estoy lista, y luego de sentir un beso distinto, de saludo, ya sin pensar en ese beso que estuvo esperando todo el tiempo, ¿quieres tomar algo?, y Andrés, con un acento que ella siente ahora notoriamente distinto al de la noche anterior, ¿no está tu hijo?, le traje estos chocolates. Mi hijo está desde el jueves donde mi suegra. Donde *mi ex suegra,* quisiera decir, pero sabe que él entiende, quizás mejor que nadie. ¿No es tarde ya?, pregunta Andrés como si buscara motivos para no aceptar su invitación, y ella no, en Chile nadie llega a una comida antes de las diez, veo que te has vuelto absolutamente *tedesco.* ¡Y qué tierno estuvo sin embargo en el auto! La forma de acariciarle la mano cuando ella acercó la suya al encendedor al ver que Andrés sacaba otro cigarrillo. Fue el último gesto sorpresivo que recordaba de Andrés. Luego, lo que ocurrió en el trayecto y al llegar a la casa, incluso ese otro beso, que le pareció lleno de cariño pero muy distinto del que había estado recordando toda la tarde, se perdió como se pierde un suceso reciente, sin espacio para la nostalgia, sin tiempo para transformarse en recuerdo. Pero la memoria estaba ahí esa noche. Era también una especie de materia viscosa que lo envolvía todo, eran esas voces conocidas. *¿No está cansada, Chelita? ¿Quiere que hagamos una pausa? No, quiero que terminemos luego.* Era ese ruido extraño que escuchaba ahora en el baño de la casa nueva, ese quejido que parecía venir desde las entrañas de la casa, y por eso pegó su cabeza a los azulejos y estuvo un rato largo tratando de oír, hasta que sí, era eso, por suerte era eso, el ruido clandestino del agua en las cañerías, pero sonando en sus tímpanos como una voz humana, como si allí alguien estuviera llorando.

22

—¿Y qué más, Chelita? ¿Qué otra cosa se podía oír?

—Las campanas. Eran las campanadas de un colegio. Me acostumbré a oírlas y podía contar, cuando no me estaban torturando, cuántas horas de clase habían transcurrido. Llegué a saber cuál iba a ser la última campanada con que terminaba esa jornada de clases. Después de eso venía la noche.

—Y en la noche... ¿Qué voces? ¿Qué ruidos?

—Las voces de mis compañeras pidiendo agua o que nos acercáramos a tocarles la cara después de una sesión. Éramos el espejo ciego de las vendadas. ¿Por qué me duele tanto el ojo? Díme cómo lo sientes. ¿Qué me hicieron en la boca? ¿Es sangre esto mojado en la blusa? ¡Huélelo, por favor! ¡Díme!

—¿Y a los hombres? ¿Los oían?

—Usted quiere decir a los torturadores. Pero no se olvide de que entre ellos no sólo había hombres. Había también mujeres. Y al final, cuando ya iba a salir, tengo la impresión de que eran muchas más las mujeres.

—¿Podía oírlos en la noche?

—Sí, claro, había un momento en que se cerraban las puertas de las piezas de abajo, porque las risas y las conversaciones llegaban con menos intensidad. Pero se oía, oíamos los apodos...

—¿De ellos mismos?

—De ellos y de nosotras. Todas teníamos un nombre inventado por ellos, pero eso sí que no se lo voy a decir. Eran unas tremendas groserías. No me pida que le hable de eso, prefiero que cambiemos el tema.

—¿Otro cigarrito?

—Bueno.

—Dígame, Chelita, qué más podía oír que nos permita identificar el lugar donde estaba esa casa. ¿Qué más, fuera de las campanas de ese colegio?

—La feria.

—¿Había una feria?

—Claro.

—¿Y cómo sabe que era una feria?

—Eso lo sabe una, es un ruido muy característico. Además usted lo nota por lo espaciada. No era como las campanas, que sonaban todos los días.

—Ese ruido, entonces, lo sentían sólo una vez en la semana.

—No. Dos veces. Por lo general, las ferias son los jueves y domingos, o los miércoles y domingos. Cuando había ruido de feria y no de campanas, era domingo. Cuando a las voces de los vendedores se sumaban los llamados al recreo, al comienzo pensamos que era un miércoles o un jueves. Pero después supimos que esta feria era los miércoles.

—¿Por qué? ¿Cómo lo sabe?

—Porque a mi hijo le gusta el fútbol. Por eso sé que los partidos de la Copa Libertadores son los miércoles. Cuando había campanas, ruido de feria y más tarde gritos de los torturadores escuchando el partido, era miércoles. Desde ahí se podían contar los días siguientes.

—¿No llegaba ruido de vehículos desde la calle?

—Sí, claro.

—¿Micros?

—Micros también.

—¿Y no le sugieren nada esos ruidos?

—Nada especial. Salvo que la casa estaba en un lugar donde había locomoción colectiva, escuelas, una feria. No era como Tres Álamos o Ritoque, que estaban alejados de la gente. Esta casa estaba en medio de la gente. Pasaban frente a ella durante todo el día. Lo que no entiendo es cómo no se oían nuestros gritos.

—Porque usted sí que los oía.

—Todo el día. Claro que se escuchaban los gritos. Si eran verdaderos alaridos. ¿Cómo no se oían desde la calle?

—Tal vez la casa está muy adentro del sitio. A lo mejor tiene un patio trasero y un antejardín muy grandes.

—Eso puede ser.

—¿Cómo escuchaba usted los gritos de los feriantes? ¿Podía distinguir palabras?

—Muy poquitas. Era más un barullo que iba creciendo, y después de algunas horas decrecía hasta desaparecer.

—¿Y qué otro ruido?

—Los pasos en la escalera. Se oía el ruido de las pisadas y el crujido de la madera.

—¿Crujía mucho?

—Crujía bastante. ¿Importa eso?

—Claro que importa. Puede significar que era una casa vieja. Pero eso lo estudian otros. Nosotros tenemos que proporcionar la mayor cantidad de datos.

—Entonces los peldaños de la bajada al sótano... ésos los conté varias veces, porque la primera noche me caí en esa escala. Por eso prefería saber cuántos me faltaban para llegar abajo.

—¿Y cuántos peldaños había, Chelita?

—Ocho. De eso sí que estoy segura.

CAPÍTULO DOCE

23

Mientras en la terraza Marcela les cuenta que había sorprendido a Andrés llorando en el dormitorio de su hijo, Cecilia advierte que desde el trío que conversa en el césped se han alzado un par de veces los brazos de Sonia. Parece que está dirigiéndole extrañas señales, podría ser un saludo, ¡mira qué bien lo estamos pasando!, pero también podrían interpretarse como una petición de socorro, un SOS que Cecilia no entiende, pues a esa distancia, unos diez metros, sólo se oyen las risas. Cuesta establecer una relación entre esos gestos apurados del brazo de Sonia y una conversación que Cecilia no alcanza a escuchar, prefiere esperar a que la misma Sonia tome la iniciativa, pero ésta se ha concentrado de nuevo en el relato del retornado, también me gustaría estar ahí, piensa Cecilia, esta Marcela se ha puesto un poquito monotemática, hace media hora que no habla sino de Andrés, pobre Cristián. Y Andrés, requerido en el otro grupo por Sonia, que ya lo mira provocadora a los ojos haciendo tabla rasa de la presencia de Julián, está diciendo lo que Cecilia no escucha...

—Es que no puede haber condiciones, Sonia.

—Las circunstancias, quiero decir.

—¿Qué circunstancias?

—Las que te harían decidirte por la separación legal.

—¡Pero si aquí no existe la separación legal!

—¡Oye, todo el mundo se anula!

—Todo el mundo que vive aquí, querrás decir. El mundo es más grande que este paisito.

—¿Es cierto que no has pensado en volver?

—¡Cómo va a ser cierto! ¡Miles de veces he pensado en volver! Los primeros años no hacía otra cosa. De la mañana a la noche sólo pensaba en volver. Pero por suerte uno también se cura de esa enfermedad. Volveré, claro... Supongo que algún día volveré.

—¿Y si te enamoraras aquí?

—...

—Díme: ¿y si te enamoraras?

—...

—¿Puedes traerme más pisco, Julián? El jarro está en la mesa de la terraza.

—...

—No puedes tratar así a tu marido.

—¿Cómo?

—Vamos, Sonia. No sigas con este juego.

—Se quedó allá con los otros y no alcanza a oírnos. Si yo me separara, ¿te casarías conmigo?

—...

—Contéstame. Ahora no tienes el pretexto de Julián.

—No necesito pretextos.

—Díme, entonces.

—No. No me casaría.

—...

—Ésa es la verdad. Perdóname.

—¿Ni conmigo... ni con nadie?

—¿Qué sentido tiene esa pregunta? Te quiero, pero no me casaría contigo.

—¿Me quieres? ¿Estás seguro de eso?

—...

—¿Estás seguro?

—Sí, creo que te quiero.

—¿Y entonces?

—¿Y entonces qué? Yo no tengo nada que hacer aquí, Sonia. Nunca debí venir. Es lo más absurdo que he hecho en mi vida. Aquí todo es tenso, asfixiante, enfermo, es... como esta noche... como esta conversación, incluso. Yo creo que es el miedo. Todos tienen miedo. Tal vez porque lo han perdido casi todo, viven con el pavor de perder lo último que les queda, que a veces es sólo la esperanza de algo. Perdóname, Sonia. No tiene que ver contigo, tiene que ver con todos y con todo. Ya no aguanto más.

—¿Y si yo pudiera irme contigo? Allá podría estudiar filosofía, como tú...

—No sé, Sonia. Era otra la situación... Inmediatamente después del golpe nos recibían con los brazos abiertos. Ahora ni siquiera tramitan las visas de los visitantes.

—Sería distinto si estuviéramos casados.

—¡Ah, era por eso!

—¡Por supuesto! No he cambiado tanto ni tengo tanto miedo como para querer casarme contigo solamente por el qué dirán. Te lo pregunto porque es la única oportunidad de seguir juntos. Yo sé que no te vas a quedar. Incluso sé que ya no vas a volver. ¡Si supieras cómo te entiendo! Lo único que yo quería era soñar con la posibilidad de estar juntos y lejos... Sí, eso no más, a lo mejor... Soñar un par de días... como si fuera un descanso.

—¿Dónde está ahora Julián?

—Trabaja en otro banco...

—¿Dónde está en este momento, Sonia?

—Está tomándose un trago.

—¿Nos está mirando?

—Sí, nos está mirando.

—Podemos hablar de esto en otro lugar, mañana mismo si quieres.

—Después de lo que me dijiste, ¿tiene algún sentido?

—...

—Bueno, ahora viene para acá. Préstame tu pañuelo. Voy a hablar con la Cecilia.

24

Julián, a quien los miembros del trío de la terraza advirtieron molesto e incluso irritable, los escuchó primero en silencio, luego llenó su vaso con pisco *sour*, hizo algún comentario acerca de la mención de Cecilia al crédito que les había permitido terminar el alhajamiento, precisando que eso no era, por el monto y la forma, un crédito hipotecario, sino un simple crédito de consumo en cuotas fijas. Cuando Marcela le pidió que explicara la diferencia, fue perceptible su irritación a pesar de su esfuerzo por disimularla. Dio un par de datos relativos a los montos mínimos de los diferentes tipos de crédito, al cálculo del porcentaje de interés, todo esto más pendiente de lo que ocurría sobre el césped que de sus circunstanciales aprendices de estos refinamientos financieros. El pobre Julián tiene que hacer esto toda la semana, déjenlo que se divierta, sugirió Cecilia asumiendo su defensa, consciente del malestar que había provocado en Marcela y su esposo el tono arrogante de Julián. Cuando éste volvió al jardín para reintegrarse al otro trío —ahora peligrosamente un dúo—, Cecilia, que lo siguió con la vista, se sorprendió al ver que, en el momento en que Julián tomaba la silla de lona para sentarse, Sonia se ponía bruscamente de pie, estiraba su brazo hacia Andrés, tomaba algo blanco de su mano y salía corriendo en dirección a la terraza. Cuando estuvo junto a Cecilia, ésta la vio llevarse el pañuelo a sus ojos, ven, por favor, ven, y ya van aceleradas por la terraza, pasan junto a Manuel, que sigue avivando el fuego y se desentiende de ese calor para seguirlas con la mirada cuando entran a la casa.

—¿Qué te pasa?

—Quiero preguntarte algo.

—Díme.

—No sé cómo decírtelo.

—¿Quieres un vaso de agua?

—Sí.

—Berta, por favor.

—...

—Gracias, Berta.

—Te va a hacer bien.

—Ya estoy mejor. Salí del ahogo.

—¿Es por Andrés?

—Sí.

—¿Qué pasa?

—Eso quisiera saber. Está rarísimo.

—¿Qué te dijo?

—No sé lo que me dijo. Pero de ayer a hoy es otra persona. Frío, distante, incluso francamente molesto cuando le pregunto ciertas cosas. ¿Tú le pediste que viniera con la Julia?

—Sí. Yo se lo pedí.

—Habría sido mejor no invitarlo.

—Yo te lo pregunté, Sonia, y tú me pediste que lo invitara. Es más, me dijiste que sería mucho mejor si venía con alguien.

—Es cierto. ¿Y eso qué arregla?

—No sé qué quieres arreglar.

—¿Dónde está la Julia?

—Hace rato que no la veo. Berta, ¿usted ha visto a la Julia?

—Sí, señora. Está en el baño de arriba.

—Bueno, parece que algo raro está pasando aquí esta noche. ¿Te dijo algo Andrés? Algo sobre la Julia, quiero decir.

—No.

—¿Por qué me preguntaste por ella, entonces?

—No sé, perdóname. Estoy completamente idiota.

—Berta, vaya por favor a ver si Manuel necesita algo.

—Sí, señora.

—¿Qué está pasando, Sonia?

—Pasa que estoy loca, parece.

—Julián estaba muy raro.

—¿Raro?

—Preocupado. Abrumado, diría yo. ¿Qué es lo que pasa?

—No pasa nada.

—¿Nada?

—Sí. Eso es lo peor. No pasa nada.

—¿Quieres tomar algo?

—No. No me siento bien. Ya me tomé tres piscos *sour.* Mañana voy a andar con un hacha tremenda.

—Come algo.

—Sí, voy a comerme una papa.

—Cómete un huevo duro, mejor, es lo que más sirve. Mira, ahí están, en la fuente de madera. No me has contado lo que pasó con Andrés.

—¿No te das cuenta de que no pasó nada?

—Me doy cuenta de que pasó mucho, Sonia.

—Pero él se olvidó de eso.

—¿Tú sabes que se va la próxima semana?

—Sí.

—¿Y?

—¿Y qué?

—No sueñes con cosas perdidas. No hace bien.

—Tienes razón. Es que hacía tanto tiempo que no esperaba nada.

—Te entiendo, Sonia. Te entiendo demasiado bien, a mí me pasa lo mismo.

—No es lo mismo. Tú has soñado con esta casa y ahora estamos aquí. ¿Qué más querías?

25

Había que averiguar qué le pasaba a la Julia, claro. No era cosa de quedarse ahí discutiendo si la amiga había desaparecido hacía más de una hora. ¿Está segura, Berta, de que se encerró en el baño? Sí, señora, en el baño de arriba. ¿Tanto rato? Mejor vamos a ver qué le pasa, Cecilia. Sí, vamos a ver, y ahora van saliendo de la cocina, alcanzando ya el primer peldaño de la escalera de caracol, Sonia se pone detrás de Cecilia para así pisar los peldaños más anchos, irse pegadita a la pared, afirmada del pasamanos, no es muy segura esta escalera, piensa, no sé qué va a pasar con las niñitas, y ya pisan el último escalón, Cecilia se lleva el índice a los labios, shshshshsht, vamos a mi pieza primero, y pasan delante del baño calladitas, pisando con cuidado, no debe oírse nada, no debe crujir el piso, no debe escucharse ningún ruido. Cecilia prende la luz de su cuartito lila suave, siéntate ahí, y le habla a su amiga en sordina. Están sentadas en el sofá pequeño de dos cuerpos, forrado en chintz blanco-invierno, el único color que tolera este lila tan bonito, les había explicado a todos Cecilia menos de una hora antes, cuando hablaban fuerte y se reían, lo miraban todo e iban conociendo maravillados esta casa tan linda, y en el segundo piso el cuartito lila donde Cecilia les secreteó sobre sus horas de privacidad, esa forma lujuriosa de estar sola, y se rieron, y se codearon, y se callaron cuando sintieron la mirada de los hombres. ¿De qué se ríen ustedes?, ¿quién va a contar el chiste? Pero ya no se ríen, ahora están las dos solitas en el cuarto lila hablando en voz muy baja, que la Julia no se dé cuenta de que subieron, no vaya a pensar que están tratando de averiguar lo que le pasa, porque eso es exactamente lo que buscan: averiguar qué es lo que le pasa a la Julia. Shshshsht, escucha, y entonces no sólo callan, parece que quisieran un silencio tan profundo que incluso dejan de respirar. Se miran y entonces el primer ruido llega hasta ellas como si fuera la continuación de un juego en el que las dos van creyendo sin saber cómo... el ruido viene de muy lejos.

—No, viene de aquí mismo.

—No puede ser.

—¿Qué es ese ruido, Cecilia?

—¡Shshshshsht, escucha!

—Es como un ronquido bajito.

—No. Escucha bien. No es un ronquido.

—Es como si a alguien le costara respirar.

—¿La Julia?

—No hay nadie más por aquí.

—¿Cómo que nadie más?

—¡Ay, qué tonta! Están las niñitas, claro...

—Pero la pieza de ellas queda más retirada.

—¿Qué puede ser, entonces?

—Voy a ver.

Y va a la pieza de las niñitas, camina en la punta de los pies, acerca su oreja a la puerta, la empuja lentamente, no prende la luz, se queda allí, iluminada apenas por el rayo azulino del farol, ese cono de luz fría que desde la calle pasa a través de una abertura de las cortinas. Permanece ahí un rato. No hay nada. No hay ruidos extraños. ¿Y eso? ¿Qué es eso? ¿Es el mismo ruido amarrado a su oído y su memoria? ¿Son las niñitas? Se acerca a las camas; se inclina sobre la mayor, que duerme, y la arropa; pega su oreja a la frente de la niña, la besa apenas, no sea que se despierte, y luego lo mismo con la menor: la arropa con más dificultad porque la niña está sobre la cama, destapada, la luz azul que atraviesa la ventana ilumina su piyama blanco, su pelo oscuro marca una oscuridad más profunda sobre la almohada. Cecilia la besa, apoya su cara sobre el pecho de la niña, no oye nada distinto a la casi imperceptible respiración tranquila de la criatura dormida. En puntillas deshace lo andado, está de nuevo en la puerta del dormitorio, se vuelve para mirarlas una vez más, cierra despacito la puerta, la deja junta, avanza rápido por el pasillo hasta el cuarto lila desde cuyo interior cae el rayo de luz que se quiebra en el ángulo que forman el parquet y la muralla.

Se sienta junto a su amiga.

—¿Eran ellas? —pregunta Sonia.

—No.

—Yo sigo sintiendo el mismo ruido. Pero ahora es como si hubiera algo intermitente. Eso no es alguien llorando. No es la Julia.

—¿Y qué crees tú que es?

—Es como agua que corre...

—¿Las cañerías?

—Puede ser.

CAPÍTULO TRECE

26

Pero no sólo el miedo estaba ahí otra vez. Aunque Julia ya no lloraba, seguía con los ojos hundidos en la toalla, perdida en el olor de esa colonia con la que empapó generosamente el paño que no se atrevía a separar de su cara. Se aferraba a esa seguridad manuable, blanda, cálida, fragante ahora, y lo único que existía entre ella y el dolor que le robaba el aire era esa borrosa presencia rosada. Ha vuelto a vomitar hace un instante, aunque pensó que ya no había nada más que expulsar. Y ahora imagina que la puntada al costado que vuelve a sentir es un dolor reflejo relacionado con el corazón. Asuntos del corazón, pensaba precisamente su amiga Cecilia al descubrir su larga ausencia del grupo y la animada conversación de Andrés con Sonia en el jardín. Asuntos del corazón: se lo advertían desde el año pasado los médicos de la Vicaría y los amigos que sabían no sólo de sus dolencias sino, sobre todo, de su entrega al culminar, estando ya sola, con abundantes lágrimas y a veces verdaderos ahogos, la redacción de las denuncias en ese lenguaje impersonal y almidonado, el único que puede soportar el papel-proceso, que ella llama «suspiro de notario». Sí, asuntos del corazón, pero ya se está calmando, a lo mejor todo es un error, algunas coincidencias, un parecido en la arquitectura de las casas, a lo mejor me estoy pasando películas, se dice sacando la nariz de la toalla, llevando su rostro hacia la llave que ahora lanza su chorro frío en el lavamanos; así, así está mejor, se siente el alivio, qué tonta, el día menos pensado soy yo la que para las chalas, esto no puede seguir, qué asco esta cara, ahora el agüita está tibia, se está calentando, algo se está calentando, los ojos le parecen un puro ardor, un vacío de lágrimas, dos plumas rojas, el vestigio de un pájaro que abandonó su cara para siempre, dejándole allí ese remedo de cuencas, esas dos manchas rosadas, el mismo color de la toalla, el color del llanto, el color de esas livianas plumas perdidas en el vuelo asustado de un canario; de qué le sirvió acicalarse toda la tarde, ir en la mañana a la peluquería, arreglarse las cejas, preocuparse de esos puntitos negros en el cutis que por fin ya no existían. Si me viera así, no me reconocería. Qué belleza, la había piropeado Andrés apenas ella le abrió la puerta, me está gustando esta Vicaría con abogadas que parecen estrellas de cine, y ese numerito antes del primer pisco *sour,* antes de preguntarle por su hijo, en realidad preguntándole si su hijo se hallaba en casa, para averiguar si estaban solos. Y miren ahora a la estrella de cine, un mamarracho de ojos enrojecidos, bordeados por esa miseria oscura, esa otra borra parecida a la del alma. Y entonces, cuando no había más realidad que su cara lamentable en el espejo, un leve desplazamiento de la mirada, mínimo como el rumor escondido de las cañerías, la lleva a mirar lo que hay detrás de su rostro: otra imagen reflejada en el espejo, envuelta en el vapor del agua caliente que seguía manando a chorros de la canilla. Y ahí, desde la bruma que empaña el vidrio, pegadita a la oreja de Julia, casi como si la estuviera besando, desde un rumor apenas perceptible de aguas, desde ese quejido que llega de las cañerías, ve a la Chelita que la está observando desde la bañera con ojos tan agotados de lágrimas como los suyos. Limpia con la mano, muy rápidamente, el vaho del espejo, convencida de que así la hará desaparecer: en la superficie limpia del espejo no puede haber ambigüedades ni visiones sin sentido. Y sin embargo está allí de nuevo, más nítida aun, más presente que en todas las sesiones de la Vicaría, más hundida que nunca en la bañera. ¿Chelita?, pregunta con un hilo de voz que ni siquiera deja su aliento en el espejo, un susurro tan callado, una pregunta bajita para no quebrar la esperanza de que todo sea un sueño.

27

—Me costó un mundo llegar, Julita. La plaza está imposible con los gases lacrimógenos. Míreme los ojos. Me quedé un rato en el pasillo para no entrar llorando a su oficina.

Cree que está en mi oficina, entonces.

—¿Se siente mejor aquí, Chelita?

—Mucho mejor. Pero todavía estoy medio ahogada.

—Tómese este café, le va a hacer bien. Se lo toma despacito, eso ayuda a salir del ahogo. Así se va el efecto de los gases. Eso, eso es, así.

—Venía ahogándome. Lo de los ojos es lo de menos. Ya sé que eso pasa. Pero no poder respirar es algo terrible.

—Esta vez no le ofrezco un cigarrito, entonces.

—No, cómo se le ocurre. Si apenas tengo resuello. Pero le voy a pedir otro cafecito. Me estoy helando.

—¡Pero si está empapada, Chelita! No me había fijado...

—Sí, pues. Justo cuando venía atravesando la plaza empezaron a mojarnos con los carros. Todavía me siento bajo el chorro del guanaco.

Cree que está en mi oficina. No se da cuenta de que está en una bañera llena de agua.

—Tome esta toalla, Chelita. Séquese. Se me va a enfermar si se queda así, pues. Voy a ver si le consigo ropa seca.

—No, cómo se le ocurre. No me pase nada, por Dios, si me pillan con esto me van a llevar a la parrilla.

¿Dónde está entonces la Chelita? ¿Dónde cree que está? ¿Dónde estoy yo?

—Bueno, voy a escribir como todas las mañanas lo que usted me cuente. Pero antes le traigo ropa seca.

—No me deje sola. Se lo ruego, hijita.

—Bueno. Yo voy a buscar unos documentos en el armario y por eso le voy a dar la espalda. Sáquese mientras tanto su blusa, que le voy a pasar mi chaleco.

—Parece mentira que pasen estas cosas.

—Sáquese luego lo mojado, mire que se puede enfermar. Tome, póngase esto. Está calientito. Eso. ¿Ve que es mejor así? ¿Cómo se siente? Ahora sí que le vendría bien otro café. Le voy a dar una taza de las grandes. Tome. ¿Se siente mejor?

—Mucho mejor.

—Cuando se sienta bien, empezamos.

—Ya estoy bien. ¡Qué manera de mojarnos! Si todavía me siento en el agua.

¿Es esto lo que estoy oyendo? ¿Dónde está? ¿Dónde estoy?

—¿Dónde estábamos, Chelita? ¿Qué me estaba contando? Ah, ya sé. Esa protesta en que la mojaron entera.

—Yo venía caminando hacia acá. El agua me pilló de sorpresa.

Está removiendo el agua con las manos, haciendo pequeños oleajes, como si fuera una niña jugando mientras la bañan.

—Entonces... ¿qué hacemos, Chelita?

— Bueno, anote como siempre lo que le cuento. Por si sirve de algo. Por si ustedes descubren dónde queda esa casa.

—Déjeme que ponga papel en la máquina.

—¿Por qué ese papel tiene líneas?

—Porque es papel-proceso.

—¿Proceso?

—Así se llama. Es el que se usa en los tribunales. Yo lo llamo «suspiro de notario».

—Eso es Neruda... de *Joaquín Murieta,* ¿verdad?

—¡Qué bien, Chelita! Ay, qué tonta soy, si es usted la profesora. ¿Está lista?

—Lista, mijita.

—¿Entonces?

—Entonces nos llevaban a la bañera. Eso era cuando no nos podían sacar palabra; cuando no podíamos decirles lo que ellos querían oír, porque no sabíamos qué esperaban que les dijéramos. Nos subían desde el sótano hasta uno de los baños de la casa. Teníamos que subir muchos escalones. Primero los ocho peldaños empinados, tocando esa pared áspera, como de puros granos, como concreto sin estucar. Después un descanso largo, unos pocos pasos sobre el piso de madera, luego unas baldosas, las sentíamos en la planta de los pies, no se olvide de que nos tenían siempre descalzas, y después de unos empujones nos tomaban del brazo y sabíamos que ahí empezaba la otra escala. Ésa era de peldaños menos empinados y ya habíamos aprendido que era mejor irse por la derecha, porque en esa parte los peldaños eran más anchos.

—¿Una escalera de caracol?

—Eso parece.

—¿Y después?

—Al final de esa escalera de caracol nos soltaban el brazo y nos empujaban para que supiéramos en qué dirección teníamos que caminar. Cuando sentíamos de nuevo las baldosas, ya sabíamos que venía todo lo del baño.

—¿Y qué era, Chelita, todo lo del baño?

—Eso era una de las cosas peores, pues.

—Cuénteme despacito, que voy escribiendo.

—Nos metían aquí, en el baño, y nos dejaban harto rato solas, porque el puro miedo de lo que venía ya era una parte de la tortura. Imagínese. Sabíamos que una salía de aquí casi muerta. Si a veces venían doctores a comprobar nuestro estado.

—¿Cómo sabe, Chelita, que eran doctores?

—Porque los oíamos, pues: ¿qué opina, doctor, se puede seguir o dejamos a esta perra para mañana? Así decían.

—¿Y qué les hacían?

—Bueno, ellos lo llamaban «el submarino».

—¿Les metían la cabeza dentro de la tina?

—Nosotras ya estábamos en la tina...

—¿Por qué dice *nosotras?* ¿Estuvo alguna vez con alguien en la tina?

—No. Digo nosotras porque sabíamos que después vendría otra, y otra... Y cuando el agua era poca y había que llenar de nuevo la tina, era porque ya antes habían hecho lo mismo.

—¿Y qué pasaba, entonces?

—Una al comienzo creía que iban a matarla dejándola sin aire, pero después de varias veces ya sabíamos que era para hacernos sufrir más.

—¿Cuántos eran los que estaban con usted en el baño?

—No sé, pues. Acuérdese de que estábamos

vendadas. Pero nunca era uno solo. Eran varios, en realidad. Yo diría que dos o tres, a veces más de tres. Se notaba por las voces distintas. Y porque no todos se reían de la misma manera. Y a lo mejor algunos ni siquiera se reían, los pobres. Yo creo que algunos estaban ahí a la fuerza.

—Eran hombres.

—No, no solamente hombres.

—Pero casi siempre hombres...

—No, sólo al comienzo. Recuerde, Julita, que yo estuve un tiempo largo. Yo diría que eso fue cambiando y al final eran más mujeres que hombres las que nos torturaban.

—¿Está segura, Chelita?

—No en realidad. Pero le puedo decir que algunas mujeres eran peores que los hombres. Nos conocían mejor. Sabían cuáles eran nuestros puntos más débiles.

—¿Y en la bañera?

—Sabían que gritábamos más de lo normal.

—¿Cómo así?

—Bueno, un hombre siempre se conmueve o se asusta con los gritos de una mujer. Las mujeres que nos torturaban eran distintas. Nos decían que podíamos gritar todo lo que quisiéramos, porque a ellas eso no las impresionaba.

—Y ustedes gritaban mucho...

—Claro. Era una forma de defendernos.

—¿Y cómo es que no se oían esos gritos en la calle? Los gritos en el sótano no podían escucharse, claro, ¿pero cómo podían torturarlas en el baño sin que los gritos despertaran al vecindario? Los baños tienen ventanas.

—Ese baño no tenía.

—¿Cómo sabe eso, Chelita?

—Porque después de la sesión ellos se iban. Una se quedaba ahí, dando gracias a Dios por estar viva, llena de agua por dentro... la íbamos botando con arcadas, como un vómito mezclado con ahogo, apenas podíamos respirar. Nos íbamos levantando de a poco, tanteando el borde de la tina, apoyándonos en la pared... Y esa pared era continua, yo creo que ahí no había ninguna ventana.

28

Faltaba la prueba definitiva, claro, la puñalada por la espalda. Si alguien creía en serio que éstas eran alucinaciones de Julia, otra manera de seguir enredada entre los testimonios que ella escucha en la Vicaría, esas rumas de expedientes con destino incierto —o muy certero cuando se tramita un recurso de amparo en cualquiera de las cortes: esfuerzo inútil, derrotas que, sumadas, iban quitando algo más que el sueño—, carpetas gordas de relatos que dejarían sin aliento a los más desaprensivos... y esa cadena de imágenes que se repiten cada noche en la oscuridad, ajena al sueño, lejos del descanso, invadida, ocupada, tomada como una casa en que se hubieran instalado los rostros y los gestos del dolor dispuestos a no salir nunca más de ella. Así van pasando uno tras otro los semblantes de esas mujeres tan distintas, tan diferentes a las otras y tan distintas entre sí, y entre ellas la Chelita con sus medias rotas, ese poquito de *rouge* que ahora colorea su boca que calla tanto, que ignora tanto. Y ahí despierta de ese semisueño al que se ha acostumbrado ya, no es dormir, se dice, yo ya no duermo, entro en lo oscuro y escucho voces, las voces de mis mujeres, las voces de todas ellas, y sabe que esa presencia en el aire, esa otra música, esas palabras nombrando lo más duro, es lo más parecido a dormir. Y cuando esas voces vienen con sus caras, una mano que aparta un mechón de la frente, otra que saca despacio un pañuelo de la cartera y lo extiende sobre el muslo para luego empaparlo de lágrimas, entonces, ya con esas imágenes, Julia ha entrado no sólo en el dormir que no es, sino también en un sueño que no merece ese nombre, y así lo cuenta. Y porque lo ha contado desde un día remoto, olvidado ya en las brumas de la repetición, del siempre lo mismo, incluso esas mismas caras y esas mismas voces repetidas hasta la desesperación, porque lo ha contado desde siempre es que suele sorprender un par de ojos amigos que recelan, la miran sin creer, atentos más al síntoma que a lo que ella les cuenta. Como está pasando esta misma noche, ya contó de nuevo una historia de ésas que atrapan las miradas inquisitivas, la desconfianza que no se confiesa, el puro dolor... en el fondo, la conmiseración hacia ella. Cómo vas a estar bien si tú misma nos dices que no duermes. Cómo vas a seguir en esto si no te cuidas. Cómo te vamos a creer cuando nos dices que mañana vas a ir al médico, que mañana pedirás permiso, que mañana te vas unos días a la playa. Cómo te vamos a creer. Cómo te podemos creer esta noche. ¿Y los ocho peldaños de la escalera del sótano? Hay miles de sótanos con ocho peldaños. ¿Y cómo lo supe antes, cómo escuché las voces de nuevo, cómo podía saber que eran ocho antes de bajar? No sé, no sé, alguna explicación habrá, pero no porque imaginaste ocho peldaños vamos a dejarte metida en esto, tienes que salir, tienes que cuidarte, no estás bien, Julia. ¿Y cómo se explican las manchas en las paredes? Porque era una casa abandonada, vieja, habitada también por gente vieja, como nos contó la Cecilia. Pero eso ella nunca lo vio, lo supone. Y tú también supones. ¿O tienes una prueba, una evidencia? Y todo lo que les estoy contando, ¿no es una prueba, acaso? Dínos algo más, ésas no son pruebas. ¿Y el portón de fierro con mirilla?, ¿por qué iban a colocar un portón de fierro, y con mirilla? Porque todo el mundo tiene miedo. ¿Esas viejas locas que describe la Cecilia iban a colocar un portón de cuartel, y además con una mirilla que no alcanzarían ni subiéndose a un piso? ¿Esas viejas locas arruinaron la casa y el jardín? ¿Ellas lo arruinaron? Probablemente no, probablemente ellas tampoco existan, Julia, pero que ellas nunca hayan existido no confirma tus sospechas. No las confirma para nada, tiene razón Manuel. Sí, tiene razón. Te falta una prueba. Cómo vas a hacer una denuncia sin una prueba... una prueba contundente, quiero decir.

Y entonces surgió la prueba, una prueba definitiva. No estaba dentro de la casa... pero sí, también estaba: no eran ni los escalones hacia el sótano, ni las manchas en las paredes, ni las quemaduras en el parquet, ni el portón con mirilla, ni los ruidos de la feria, ni las campanadas de la iglesia, ni los gritos y carreras del recreo, ni la puntual repetición de esas otras campanas, las de la escuela. Alguien hizo una pregunta que llevó las cosas desde las nerviosas y ya un poco ofensivas descalificaciones de tal o cual argumento a un terreno más sólido: las preguntas que permitirían saber cómo llegó la casa de Andrés al estado calamitoso en que la encontraron y cómo pasó de ese abandono a las manos de quienes la habían restaurado. ¿Cómo se llamaba, Andrés, el arrendatario? ¿Lo recuerdas? Por supuesto que no, jamás supe, en todos estos años, cuántos arrendatarios hubo ni quién fue el último; yo recibía el dinero en una sucursal del Deutsche Bank en Berlín, puntualmente, todos los meses. ¿Te lo enviaba un corredor? No, me lo enviaba mi hermano, él se quedó a cargo de la casa. ¿Es tuya la casa? Es de los dos; cuando los viejos se quedaron solos, compramos para ellos la casa de Condell, más chica, más cómoda, en mejor estado, y nosotros nos quedamos con ésta, que ya entonces se la arrendamos a un matrimonio con varios niños, dueños de una rotisería en Ñuñoa, a ellos les venía bien por lo cerca que les quedaba el trabajo, estoy seguro de que vivieron aquí hasta el año setenta y tres. ¿Y después?, ¿te acuerdas de qué pasó después? Bueno, después me fui, y al cabo de un tiempo mi hermano me dijo que había arrendado la casa y que creía justo, como una ayuda mientras se arreglaba mi situación afuera, enviarme el monto total del arriendo, aun cuando la casa era de ambos. ¿Entonces Sergio arrendó la casa? Así es, salvo que la haya entregado a una oficina corredora, pero entiendo que no. Hay que preguntarle a quién le arrendó la casa. ¿Ahora mismo? Sí, por qué no ahora mismo. ¿Quieres que lo llame, Cecilia? Por supuesto, Andrés, llámalo inmediatamente, y entonces Andrés fue al teléfono de la salita del primer piso, todos estaban pendientes de la conversación, algo al parecer no marchaba, Sergio se resistía, porque Andrés se fue poniendo más enérgico. Aquí estamos todos en ascuas, tienes que venir. Puedes irte a Viña esta misma noche, te necesitamos sólo unos minutos y después puedes irte. Que te espere, que entienda, puedes traerla, sí. Aquí todos queremos hablar contigo, ¿entiendes? Bueno, sí, en una hora. Entiendo, desde aquí mismo te vas a Viña. Pero por favor que no sea más de una hora. Y como todos habían escuchado la conversación a través de la puerta abierta de la salita, a Andrés le bastó una frase para aclarar lo que habían conversado. «Viene, tardará una hora porque desde aquí mismo se va a Viña. Había invitado a su amiga al Casino.»

Qué miserable, alardeó Cecilia en franco tono de broma, exagerando al máximo el escueto comentario, dando casi un grito, lo que relajó un poco la tensión existente, aunque sólo algo más de un minuto. Me dijo que no podía venir al asado porque tenía que entregar un estudio de inversiones el lunes. Si hasta le rogué, y cuando le rogué que viniera aunque fuera un ratito, mal que mal la casa se la debíamos a él, le iba a gustar verla tan bonita, como recién construida, se iba a acordar de cuando vivían aquí y eran niños... Pero me dijo que le parecía casi imposible, que haría de todos modos un esfuerzo; los amigos son los amigos, dijo el miserable.

Pero luego de las risas todo cayó nuevamente en un silencio que crecía a medida que las pausas se hacían más largas, y las mismas preguntas y los mismos argumentos, más breves de tan repetidos. En todo caso, la suspensión del juicio, la espera de esa hora o algo más para saber qué había ocurrido con la casa en esos últimos años, y sobre todo quién había sido el último arrendatario, crearon un ánimo distinto. Cecilia subió a ver si las niñitas dormían bien, ya que los grandes habían gritado bastante sin darse cuenta, la misma conversación de Andrés con su hermano había ido subiendo de tono, y Andrés, ya menos alterado, se sirvió otro trago, esta vez un whisky que les ofreció Manuel, porque si van a seguir con el pisco *sour* toda la noche, mañana el hacha va a ser más o menos. Así es que Johnnie Walker obtuvo una clara mayoría, nada relaja tanto como un whisky, decía Sonia dejando caer el chorro ambarino sobre los hielos. Pero calma mucho más, es más sedante, si te lo tomas purito, le dijo Manuel. A lo John Wayne, agregó Cristián y así, de a poquito, sin darse cuenta, se fueron relajando, alguien se atrevió a preguntar por la carne, no se preocupen, ya está lista, adobada, es cosa de ponerla en la parrilla. ¿Y el fuego? El fuego ya estaba totalmente transformado en rescoldos humeantes, brasas sin calor ni brillo, una antesala penosa de las cenizas. Habrá que animarlo, yo lo haré, dijo Manuel situándose bajo la ampolleta que convocaba el revolotear de las mariposas nocturnas, ya todo va enrielándose de nuevo, con Sergio todo se va a aclarar, dice Cristián muy piadoso. Lo primero que me va a aclarar es por qué me mintió, por qué no vino, qué es eso de partir justo esta noche al Casino, acentuó Cecilia. Es que a lo mejor le dio plancha, como su amiga no nos conoce, no conoce a nadie aquí, dice Sonia siempre junto a Andrés, siempre distante y fría con Julián, cada minuto que pasa más distante, aunque ya ni siquiera fría, ahora simplemente nada, como si no existiera. Como si para todos ellos, apurando otra ronda de tragos y recuperada ya la intención del asado, tampoco existiera Julia, de nuevo se nos fue la Julia, dice Manuel después de un rato, ya menos sorprendido. Ahora anda a verla tú, Andrés, dice Cecilia, yo ya estuve arriba con ella, ya la saqué una vez del baño, prueba tú ahora, que no es fácil, y Andrés deja el vaso, entra a la casa, camina hacia la escalera y al volverse ve que Sonia lo sigue como si fuera su más reciente culpa, como si fuera su nueva sombra.

CAPÍTULO CATORCE

29

Lo esperaron más de una hora. Cerca de las doce, y como un viejo pascuero perdido de su noche y sus regalos, sin el rojo intenso de su atuendo pero con una barba que empezaba a encanecer, medido en el porte, más bien algo rechoncho para esa gordura que fue abultándole el cuerpo, sonriente como aparición de Navidad, dicharachero y con aires mundanos en el primer cuarto de hora, para desarmarse luego en un ir y venir de aspavientos y mutismos, asombró con su tardía aparición, su traje blanco cruzado, abierta su camisa *sport* color piedra y un pañuelo amaranto con rombos amarillos sacando la lengua desde el bolsillo superior de la chaqueta. Impresionó esta presencia que era en sí misma una incongruencia con el ánimo menos espectacular del asado, mal que mal los asistentes se habían vestido sólo para comer un buen trozo de carne bajo los árboles de un jardín tranquilo, y no para taquillar en las salas de juego del Casino. Deslumbró, sí. Pero la verdad es que deslumbró mucho menos que su rubia acompañante, que parecía recién retirada de la vitrina de una *boutique* exclusiva. Les presento a Ivette, ya les había hablado de mi amiga Ivette, y la bella Ivette sonríe y saluda con simpatía, domina la situación, besa a las mujeres en la mejilla y acerca su cara para recibir el mismo beso de los hombres, se mueve con elegancia exquisita entre las sillas que han terminado agrupadas sobre las baldosas de la terraza, ya lejos del césped que empieza a cubrirse de rocío y más cerca de las brasas que languidecen en el asador. Es como si la hubiera traído para justificarse, piensa Manuel. Para no tener que dar explicaciones por la mentira, coincide Cecilia en silencio. Para que la pura presencia de Ivette, su simple estar ahí, con esa figura, esa sonrisa amplia y confiada, esa mirada despierta y segura, fueran la mejor justificación de la mentira, piensan todos luego de admirarla; la evidencia, la razón a gritos, el argumento de cuerpo presente que explicaba por qué había preferido pasar esa noche con Ivette, y además en Viña, aventurándose en los juegos de la ruleta y los naipes, los juegos que estimula la botella de champaña ya en el dormitorio de un departamento, los juegos que van penetrando la materia más nocturna de la sorpresa, la verdadera ganancia de esa noche lúbrica, plena de caricias, de besos, de salivas, piensa Andrés timoneando su imaginación para que culmine en ese puerto la aventura.

Las preguntas que Sergio esperaba —y esperaba desde hacía mucho, aunque ensayara esa noche diversos rostros perplejos— fueron brotando desde los distintos puntos de la sala a la que pasaron cuando Cecilia advirtió que estaba empezando a refrescar ahí afuera. Todas se referían a cómo la casa había llegado a manos de Cecilia y Manuel, por qué ellos la habían encontrado tan deteriorada, quién fue el primero en arrendarla cuando Andrés partió para Alemania. ¿O hubo otros arrendatarios después y es culpa de ellos lo que pasó con la casa?

Sergio va respondiendo cada una de las preguntas, escucha con mucha serenidad, aunque luego a menudo interrumpan su explicación, habla como desentendiéndose de algo para él ya superado —pero comprende que debe explicar, hay gente que ha tardado en imponerse de ciertos acontecimientos remotos—, y de vez en cuando dirige miradas intensas a Ivette, le sonríe, le dedica disimulados guiños y gestos que quieren decir ya queda poco, ya nos vamos, hay que tener paciencia.

Al mes siguiente de que Andrés abandonara la embajada de Colombia con rumbo a Alemania, los antiguos arrendatarios anunciaron que dejaban la casa. Sergio puso entonces un aviso en el diario pensando que ese arriendo sería desde ahora un ingreso extra para los viejos, a quienes les venía bien esa suma aunque no fuera considerable. Pero en esos días no era fácil arrendar ni vender propiedades; la oferta había subido demasiado, algo que al parecer no había ocurrido nunca antes, eran muchos los que se iban, y entonces vendían, arrendaban, hipotecaban para comprar los pasajes de familias enteras.

Durante meses no pasó nada. No había interesados. Ya ni siquiera aparecía el aviso en el diario.

—Entonces recibí una carta tuya, ésa en que me contabas lo difícil que era pasar de Berlín oriental al lado occidental, que tenían problemas con las visas de salida, y que los que acreditaban contar con dólares podían conseguir la autorización más rápidamente. Era algo así, si mal no recuerdo —dice Sergio.

Andrés asiente, hace un gesto con la cabeza, mira la mirada verde de Ivette que asiste asombrada a esta extraña reunión de familia.

Para ayudar a su hermano en este trance, Sergio repuso los avisos de arriendo y una mañana se presentó en su oficina de la Bolsa de Comercio una pareja de muy buena presencia, mediando ambos los treinta, gente con aire más deportivo que intelectual, profesionales independientes, según le dijeron antes de hacer una serie de preguntas sobre la casa.

—Nos juntamos esa tarde aquí mismo. La recorrieron entera, la miraron muchas veces y tuve la impresión de que estaban realmente interesados. A la mañana siguiente volvieron a mi oficina para concretar el arriendo. No pidieron nada, no objetaron el pago de tres meses de garantía que les pedí para mandarte una cantidad mayor a Berlín, pues a todo esto comprendí que tú lo necesitabas más que los viejos y que por eso debía enviarte todo el monto del arriendo y no sólo la parte que te correspondía. Quiero que sepas que en ese entonces yo recién empezaba en la Bolsa, mi trabajo era muy distinto, nada que ver con lo que hago ahora, y mis ingresos harto modestos.

Andrés de nuevo asiente, hace un nuevo gesto con la cabeza que ahora indica comprensión y gratitud, alguien se sirve un trago, Manuel va a la cocina, le pide a Berta que traiga el carrito con el bar y el hielo, vuelve a su puesto, todos se impacientan por esta interrupción innecesaria, todos quieren oír, todos tienen los ojos clavados en Sergio que hace pausas, quiere recordar bien, quiere ser preciso, una sonrisa a Ivette.

—Así es como se arrendó la casa. Nunca más los vi. Nunca se atrasaron en el pago. Nunca un vecino se quejó de nada.

Tres meses después de entregada la casa a los nuevos arrendatarios, estando de vacaciones en La Serena, cuando caminaba por la playa, Sergio se encontró con el hombre pero éste no lo saludó. No lo reconoció o no quiso reconocerlo. Esa misma tarde lo volvió a ver, esta vez sentado en un banco del paseo mirando la puesta de sol. Sergio advirtió que el hombre estaba con otra mujer y un niño de unos diez años, y pensó que ésta sería la causa de su actitud.

—Pero como pagaba puntualmente, esto no me inquietó demasiado. Lo grave vino un par de meses después, cuando vi la foto en el diario. Yo estaba esa tarde en la peluquería y aguardaba mi turno, como todos, leyendo esas revistas viejas que se van quedando allí para los que esperan. En ese tiempo causó gran revuelo la creación de un Cuerpo Femenino de Carabineros y su debut en ciertos puntos de Santiago, ¿se acuerdan?

—Claro, cómo no, las pacas.

—Eso, así las llamaron al tiro: las pacas.

—¿Y se acuerdan de que atendían unos quioscos de información en pleno Paseo Ahumada? Bueno, el hecho es que en la revista que estaba leyendo había una crónica sobre estas mujeres y una fotografía de la señora que me había arrendado la casa. La lectura de la foto decía que era, lo recuerdo textualmente, una de las instructoras del Cuerpo de reciente creación. Aparecía también su nombre; otro, por supuesto, nada que ver con el que me dijo la tarde que vinieron a mirar la casa.

—¿O sea que se la arrendaste a Carabineros? —pregunta Sonia con cierta agresividad, molesta por lo que esto pueda afectar a Andrés.

—Claro, pero cómo iba a saberlo, ellos saben hacer estas cosas, si los veo llegar de uniforme habría sido distinto.

—Pero supongo que después de saber...

—Después de saber —interrumpe Sergio— estuve muy complicado, tenía la intuición de que algo nos podía pasar, no en ese momento, ni siquiera en los meses siguientes, pero no me podía sacar la casa de la cabeza, tuve incluso pesadillas, yo sabía que esa casa había sido arrendada de una manera muy extraña.

—Te habrás preguntado el porqué, supongo —desliza Cecilia, también molesta.

—Claro, ya suponía por qué, se hablaba de eso todos los días, así es que una tarde, un sábado, recuerdo, un día como hoy, también a fines de octubre, me vine a echar un vistazo para ver qué es lo que estaba pasando con esta casa.

—¿Cuánto tiempo después? —le pregunta su hermano.

—No mucho después... un mes, si mal no recuerdo, en ningún caso más de un mes.

Y Marcela:

—Entonces, ¿qué viste?

—Eso, ¿pudiste ver algo? —pregunta Manuel.

—Claro, pude ver. Recuerdo que iba despacio en el auto, con miedo, la verdad, y casi me voy contra un árbol de la pura impresión. Era como si la casa hubiera desaparecido. Como si no estuviera más, ¿me entienden? Como si se la hubieran saltado en la secuencia de la cuadra. Ya no estaba simplemente esa casa con medio muro y cerca y portón de madera. Y lo que pasaba es que habían cambiado toda la muralla anterior, e instalado esta misma reja que vieron ahora, tapiada, de fierro o lo que sea, y el portón, también de metal y con mirilla, y todo muy alto y sin resquicios, era imposible ver nada hacia el interior. Entonces supe que ésa tenía que ser, bueno... lo que fue, ¿no?, y mira a Ivette, ya sin sonrisas, y se encuentra con la mirada helada de la rubia, esa mirada que acentúa la palidez que nubla su semblante.

—¿Y qué hiciste entonces?

—Al comienzo, nada. Estaba asustadísimo, sabía que ésa era una bomba de tiempo, no atinaba a nada. La verdad es que no quería saber de la existencia de esas casas... y no era difícil, en esos años no había ninguna de las revistas que circulan hoy, así es que cuando decían algo en la Cooperativa, al tiro la apagaba o buscaba música, en el auto es fácil, la radio está siempre al alcance de la mano, y cuando en alguna conversación en casa de amigos se tocaba el tema, yo me alejaba, hacía como que no oía, no quería saber más del asunto. Hasta que un día, luego de recibir el pago del arriendo, decidí llamar al teléfono que aparecía en el sobre bajo el membrete de una Corredora de Propiedades. No hablé con los arrendatarios en persona, por supuesto, pero dejé un recado en el sentido de que tenía algo urgente que comunicarles respecto de la casa y les rogaba que me contactaran a la brevedad. Al día siguiente, por la tarde, llegó hasta mi oficina la misma pareja que había arrendado la casa.

—¿Y por qué dices «pareja»? —pregunta Cecilia.

—Porque eso me pareció al comienzo.

—Pareja de agentes, eso es lo que eran —dice Sonia.

—Y claro, ahora qué duda cabe, pero pónganse en mi lugar, les hablo de algo que ocurrió hace diez años, estamos hablando del setenta y cuatro o del setenta y cinco, en todo caso antes del ochenta. Tú recibías los dólares en Berlín y gracias a eso podías ir al lado occidental todos los días, a trabajar en tu tesis de doctorado en la biblioteca del Instituto Hispanoamericano o como se llame, pero eso es lo que decías en tus cartas, tú te acuerdas; además yo nunca toqué un centavo del arriendo de esa casa que también me pertenecía.

—¿Y qué te dijo esa tarde la «pareja»? —pregunta Andrés.

—Fueron al grano. Sabían cuáles eran mis reservas y me amenazaron.

—¿Cómo? —pregunta Andrés.

—Me amenazaron por culpa tuya —le lanza Sergio a la cara.

—Habían averiguado lo de mi exilio —concluye Andrés.

—No seas ingenuo, Andrés, eso lo sabían desde un comienzo; si no, jamás se hubieran fijado en esa casa.

—Pero qué te dijeron, cuéntanos, no te distraigas con otros asuntos —lo apura Cecilia.

—Bueno, pasó que en el jardín hicieron una verdadera excavación. Y encontraron tus libros, Andrés. Me lo hicieron saber la tarde que acudieron a mi llamado. Incluso me dieron a entender que les sería muy fácil tomar simplemente posesión de la casa, no entrar en tanta tratativa, usar la fuerza.

Lo estaba viendo, ¿no?, le dijeron. ¿O era ciego? Afortunadamente, ahora se estaba actuando así en todas partes, se acabaron las blandenguerías, las amenazas internacionales no habían surtido efecto, nadie tenía derecho a meterse en los asuntos internos de Chile. Sí, señor. Así se está usando ahora en todas partes. ¿No va a agradecer este gesto de consideración? ¿No ve que su hermano lo ha puesto en peligro sin importarle para nada su suerte? Total, él está muy tranquilo viviendo en un país comunista... Y agregaron que incluso eso ya no era garantía de impunidad: nuestra mano es larga, le repitieron, usted lo sabe, así es que si quiere proteger a su hermano, sería mucho mejor que olvidáramos todo esto. ¿O prefería poner en peligro a su hermano? ¿Quería colocarse él mismo en una situación riesgosa?

—Al comienzo yo no podía entender que unos simples libros causaran tanto alboroto —continúa

Sergio—, pero luego pensé que los libros de filosofía de mi hermano no eran simples libros... o mejor dicho sí lo eran, pero en cualquier otra parte, no en el Chile de esos días.

Y pensó también que allí donde encontraron libros también pudieron haber encontrado, o podrían encontrar mañana, algo mucho más comprometedor, y si nada de eso había, nada les impedía colocar junto a los textos de Marx o del Che un bonito paquete de explosivos o unas cuantas armas de fabricación checa, de las que el ejército tenía en cantidades y exhibía junto a banderas rojinegras, hoces y martillos, y gorros pasamontañas, cuando se trataba de explicar «un allanamiento en el que fueron abatidos elementos extremistas, afortunadamente sin consecuencias para los representantes del orden». Todavía escucha en sus pesadillas la voz del oficial que lo amenaza, lo aconseja, lo protege, le recuerda la precaria situación de su hermano, le recomienda que de esto ni una palabra con nadie, a ver si nos entendemos...

—Eso fue lo último que me dijeron.

—¡Flor de mierda...! Las viejas brujas eran simples pacos —exclama Sonia tomándose la cabeza, quebrándose hasta que ésta alcanzó a tocar sus rodillas.

—Así es que no eran viejas donosianas —concluye Manuel.

—Podría llamarse *La casa verde,* entonces —se burla Cecilia sin sonrisas.

—Tú siempre tan amiga de entenderlo todo desde los libros —dice Manuel mientras se sirve otro trago.

CAPÍTULO QUINCE

30

Hay decisiones que son el resultado de un impulso avasallante, nos sorprendemos en su plena ejecución, las sentimos como actos lejos de la razón e incluso de la voluntad; algo se nos impuso y entonces no queda sino continuar, asumir luego las consecuencias, ir agotando la escalera de caracol sin saberlo; llegar, como llegó esa noche Cecilia a la pieza de las niñitas, evitar el interruptor, evitar la luz. ¿Era sólo para no despertarlas? ¿O para no ver aquello que parecía un latigazo del recuerdo? Esas manchas que dejaron las quemaduras en el piso, esos círculos negros en el parquet, esas evidencias que ya no están allí porque el maestro Barraza también fue eficiente en el raspado de los pisos. ¿No acaba de jactarse de eso ante sus amigos? Ninguna mancha, nada que hiciera sombra a la maravilla. El parquet vitrificado, reluciente, sin historia. Entonces no prende la luz. No quiere desalojar esa claridad precaria y cómplice, esa luz que llega apenas desde la calle y que tiene la cadencia de la sombra del follaje, un movimiento que ha entrado a la pieza de las niñitas, que las roza en sus camas, que cambia a cada segundo el juego de sombras en la pared, un movimiento que amplifica el vaivén del árbol de la calle. Y en medio de esa mínima luz que se mueve apura ella su propio ritmo, va al closet, lo abre con vehemencia, se empina para sacar desde la parte más alta una frazada, y luego otra, y sin cerrarlo —la luz azul que viene de la calle sigue meciendo las ramas del árbol en la superficie recién pintada de las puertas— va a la cama de su hija mayor, pone la frazada junto a su cuerpo ya muy adentro en el sueño, la envuelve con ese pelaje tibio, esa segunda piel caliente que la cubre, la protege, la salva, y luego lo mismo con la menorcita, la que duerme sobre las sábanas, la que recibe de la luna o del farol una mañana anticipada en su camisa de dormir que reluce. Ya están las dos protegidas, ya están a salvo, ahora hay que bajar sin que se note, sin que la descubran en esa fuga que mal podría explicar, porque ella misma no la entiende. Tiene que bajar sin que lo adviertan, sin despertar a las niñitas, ojalá sin prender la luz de la escalera, aunque la claridad amarillenta que llega desde el rellano va remontando a duras penas los peldaños que llevan al segundo piso, y ahí va ella, tratando de cargar a las dos consigo, pero no puede, sería peligroso bajar la escalera así, necesita apoyarse en el pasamanos, está oscuro. Deja entonces a la menor en la cama y toma la frazada que envuelve a la mayorcita, avanza con ella hasta la escalera, empieza a bajar uno a uno los escalones, tanteando con el pie el peldaño siguiente antes de apoyarse completamente en él, tanteando el vado, decía su padre, ¿por qué recuerdo eso ahora?, tanteando el vado, el peligro, muerta de miedo, pero ya falta poco, sólo tres o cuatro peldaños, ya estamos llegando, siente el aliento tibio de la niña en su mejilla, es como un cosquilleo dulce al que se suma la lanilla de la frazada, ya estamos abajo, ahora se escuchan con más nitidez las voces que vienen desde el patio, espera un momento, ninguna voz se acerca, la de Manuel llega desde más cerca, hablando con Julián frente al asador, las de Sonia y Marcela algo más distantes, espera un momento aún, y finalmente deja a la niña sobre el sofá de madera que hay junto al espejo del rellano. Sube entonces rápidamente la escalera, saltando los peldaños de a dos, va al closet, se pierde en su interior oculta por las puertas abiertas que siguen recibiendo en la pintura blanca nuevísima el lento movimiento de la sombra del árbol. Busca a tientas una de sus chaquetas, la encuentra, la reconoce, busca en ella palpándola y saca finalmente las llaves del auto, las guarda en el bolsillo de su pantalón, saca del colgador un abrigo grueso de gamulán, se lo pone con un gesto desesperado que se une a otro gesto desesperado, su rápido desplazamiento hacia la cama para cargar ahora a la menor de las niñitas, siente su liviandad, se alegra del alivio. Entonces puede bajar más rápido, basta una mano rodeando la frazada y la otra descendiendo apuradita por el pasamanos de madera, ya va a llegar al último peldaño, escucha las voces que llegan desde el patio, están conversando con más intensidad, eso se nota de oírlos, discuten, se escuchan algunas voces alzadas, algún tono duro, ya está a punto de lograrlo. Berta, Berta, venga por favor, y ya está en la cocina con la niña más pequeña en sus brazos, resistiendo la mirada sorprendida de Berta. ¿Podría ayudarme, por favor? Sí, señora. Tome a la niña y llévela al auto, que no se vaya a despertar. Sí, señora, y la empleada toma a la niña con un gesto que es la continuación del mismo cuidado, la misma conspiración, y como la ve en la puerta de la cocina sin entender todavía de qué se trata, Cecilia le muestra con un gesto que ella se hará cargo ahora de la mayorcita, y Berta entiende, le cede el paso, Cecilia avanza con la niña en sus brazos hasta la puerta que lleva al patio delantero, la otra salida de la cocina hacia el estacionamiento de pastelones, Berta ve que su patrona camina con la niña envuelta en la frazada de cuadros rojos y negros, se acercan al auto, Cecilia abre la puerta delantera, levanta el seguro, abre la puerta de atrás, póngala ahí, con cuidado, Berta, que no se vaya a despertar. Sí, señora. Ya está la niña medio instalada en el asiento trasero del auto. Póngala más allá, quiere que Berta deje un espacio para la mayor. Claro, señora, ahí está bien. Sí, ahí están bien las dos, ahora vuelva a la cocina y preocúpese de que todo funcione bien, ¿cree que alcanzarán las ensaladas? Sí, señora, no se preocupe, puedo hacer más si faltara. Bien, ábrame la puerta entonces. Sí, señora. Se sienta frente al volante, pone la llave en el contacto, se vuelve para ver a sus hijas durmiendo. Sí, están dormidas; pone en marcha el motor, enciende los focos, ilumina el delantal celeste de Berta, su pelo negro, su rostro sorprendido. Vuelvo luego, le dice, si Manuel le pregunta dónde estoy, dígale que fui a dejar a las niñitas donde mi papá.

31

¿Y por qué donde su papá? ¿Sabía esto ya cuando iba subiendo la escalera decidida a sacar a las niñitas de esa pieza e incluso de esa casa? Cecilia no sólo se pregunta si sabía entonces —hace apenas unos minutos— cuál sería el destino de esa fuga; se pregunta incluso si algo semejante a esa fuga, una partida rápida en mitad de la noche, un rechazo a lo que estaba perdido sin remedio, una desesperada opción por el punto de partida, un retorno al padre, a la casa de la infancia, a las mesitas con fotos de la madre muerta por aquí y por allá, no era algo que estaba decidido desde hacía mucho, mucho antes de la restauración, mucho antes del regalo, mucho antes de la casa. Algo que quiso hacer pero reprimió varias veces en el departamento de Pedro de Valdivia, en esas noches solitarias a las que se fue acostumbrando, que soportó primero y deseó luego, cuando al escuchar que ya no llegaba música desde la pieza de la Berta y los pasos de Manuel dibujaban su última amargura sobre las baldosas de la cocina. Cada cierto tiempo Cecilia sentía el ruido del refrigerador —esa tembladera metálica, el escalofrío del motor—, y al oír que la puerta de éste se abría, adivinaba el retorno del vino blanco a su casilla y el regreso de Manuel a su cama. En realidad, desde hace tiempo ya no es la cama matrimonial, el lugar de la compañía y del deseo. En los últimos meses había sido el sitio en el que por las noches Cecilia deseó compañía, pero eso es algo distinto, piensa ahora, recuerda, va parando frente a la luz roja del semáforo. Se demora esta luz. ¿Estará funcionando? Tengo que tener más cuidado, piensa; ni me di cuenta de cómo llegué hasta aquí. Sin embargo toca la bocina, un gesto absurdo porque no hay nadie delante de ella, sólo esa luz roja que la mira desde la altura del semáforo, impasible. Qué curioso estar ahí, lejos de la casa nueva, lejos de su casa, helándose con las niñitas en un auto solitario en esa noche de sábado, mirando esa luz roja detenida, esa luz que parece decidida a impedirle el paso para siempre. ¿No habían imaginado algo muy distinto? ¿No habían soñado en las últimas semanas con esa fiesta de amigos, ese asado jugoso y fragante de aliños, ese pisco y esos vinos que irían subiendo la temperatura de la noche, felices en la casa nueva, dichosos en ese empeño por la dicha que era la relación restaurada? Otro auto acata la detención que impone el semáforo. Ahora está junto a ella. Mira de reojo y alcanza a ver a un grupo de jóvenes. Las ventanillas de ambos autos están cerradas y sin embargo ella escucha la música que llega débilmente desde el auto vecino. Recuerda entonces la música que llegaba con la misma fragilidad desde la cocina del departamento, desde la pieza de Berta, desde la rumia solitaria e inabordable de Manuel. Recuerda que habían pensado bailar esa noche, onda retro, retorno a los viejos tiempos, al recuerdo, a lo único que sigue siendo joven. Discos de los Platters y Frankie Lane. ¿Te acuerdas? ¿Te acuerdas, Manuel, ya solo en tu casa nueva, tratando de explicarles a tus amigos lo que tú mismo no entiendes? Porque ella siente que ya no es su casa, y de alguna manera sabe que desde esa noche nada relacionado con esa casa seguirá siendo lo mismo. Por fin la luz verde, el auto de los muchachos acelera, le saca una ventaja inmediata, Cecilia se molesta con el chirrido sorpresivo y agudo de los neumáticos, con esa arrogancia, con la ruidosa estupidez. Ella no quiere correr; sí quiere correr, lo que no quiere es poner en peligro a las niñitas, en esa avenida se ve que hay más tráfico, Irarrázaval tiene más vida un sábado por la noche, hay más cafés, más bares, hay cines y plazas y bocacalles con árboles y faroles tímidos que estimulan abrazos y caricias. Apenas presta atención a la calle, pero sabe que el telón de fondo de su fuga es la noche del sábado en Irarrázaval. Lo que no quiere es correr. Aunque sí quiere llegar pronto a la casa de su padre. ¿Pero eso es en realidad lo que quiere? ¿Por qué a la casa de su padre? Cecilia sabe que desde hace mucho, en un tiempo y unas palabras y unos rechazos que ya ni siquiera recuerda con precisión, estuvo pendiendo sobre ella misma, y también sobre la pareja —incluso en los buenos tiempos de la pareja—, esta fuerza, este imán, esta seducción prolongada: la idea de un regreso ineludible a la casa del padre. Por eso, cuando sintió el arrebato que la impulsaba a emprender esta fuga, a sacar a toda carrera a sus hijas de la casa y meterlas en el asiento trasero del auto, de algún modo borroso aunque paradojalmente nítido, lo que vislumbraba, lo que se imponía a cada instante con más nitidez, era que el viaje de esa noche no significaba una fuga sino un regreso. Ese regreso programado desde siempre a la casa de su padre. Casa que era, pensándolo bien, su propia casa; la casa primera, la casa de la infancia, la casa nido pero también la casa vuelo, la casa en que dijo el primer no, la casa de la subversión ingenua y de la transgresión vigilada; sí, vigilada de cerca por el propio padre. La casa de la que fue bueno irse no porque hubiera dejado de ser buena; la casa a la que era bueno volver sin que fuese malo haberla abandonado.

32

Pero no es ésa la casa que la ocupa. La casa de la que huye con sus hijas esa noche de sábado es la otra, la casa nueva, restaurada; la que vieron hace dos meses en esa condición deplorable y por las causas que ahora Cecilia podía por fin entender. No habían sido unas ancianas aficionadas a los gatos y los sahumerios las que aceleraron el derrumbe de esa mansión de lechuzas. No, no fueron ellas, las inventadas por su imaginación literaria, las espectrales viejas aherrojadas en esa lúgubre mansión ñuñoína, las que arruinaron el espacioso jardín y permitieron que se fueran secando los gladiolos y las lilas, que se fueran muriendo los naranjos, que el nogal terminara habitado por una fauna tenebrosa que se alimentó de sus savias, o de sus pegajosas lubricidades expulsadas desde sus arterias hacia la costra resquebrajada del tronco, hasta consumirlo, matarlo casi. No fueron ellas las que bajaban y subían gritando, chillando, aterrorizando, desde el sótano al altillo, borrachas de sadismo y de muerte, no; no fueron las habitantes de la imaginación las culpables. No fueron ellas ni fue la casa, piensa ahora con la vista fija en la avenida que van consumiendo los focos del auto, sacando a cada instante más asfalto de la sombra, más siluetas de árboles, más follajes cimbrados por el viento, más desperdicios, y hojas de diarios, y cajetillas de cigarrillos, y bolsas de plástico, y tarros vacíos, y latas de cerveza, y trapos sucios, desechos que tienen bajo el chorro de luz de los focos su esplendor final, una reminiscencia de conejo encandilado, una señal instantánea de su paso por el mundo, antes de morir en la cuneta. Cecilia comprende entonces que también la pobre casa fue desmantelada, que de alguna forma también fue violada, ultrajado el recuerdo que se tenía de ella, ultrajado el recuerdo de Andrés, el pobre; tan pálido y sin sacar el habla desde el momento en que lo supo, tan gesto de europeo culto constatando la inmensidad de nuestra barbarie; tal vez el mismo gesto de esa mañana de domingo en Buchenwald frente a la plaza desierta del campo de prisioneros, a los barracones interminables, a la chimenea del crematorio, como les contó cuando se sirvieron el primer trago. Ve entonces que la casa, eso que sigue siendo su casa, fue también una víctima de esa barbarie, una nave que se fue hundiendo con su involuntaria tripulación de suplicantes amarradas a sus camas, sumergidas en la bañera helada, naufragando hacia un oscuro fondo marino. ¿Y ella no advirtió que la casa estaba herida, esa tarde en que la vieron por primera vez? Estaba sucia, y ahora sabía lo que eran esas manchas que parecían de salsa para adobar, ese chorreo rojizo, ya reseco, como tomates reventados no sólo contra las paredes de la cocina, sino por todas partes. Y también la herida en el parquet del dormitorio de las niñitas. ¿O no era una herida aquélla? Esa mancha de la quemadura que sigue quemando su memoria. Y entonces trata de encontrar el momento exacto en que ocurrió la coincidencia. ¿Una concomitancia, tal vez? ¿Una simple casualidad? De pronto descubrió que lo más importante para ella era saber cómo esa casa herida pasó, antes de estarlo, de las manos de Sergio a la de los agentes y luego —ya derruida, convertida en la miseria que ellos vieron aquella tarde, sucia de la más repugnante de las suciedades— a las manos de su padre.

CAPÍTULO DIECISÉIS

33

Lo más lindo era inventar, recuerda Andrés mirando la agrietada corteza del árbol, y pasa el vaso a su mano izquierda para acercar la derecha a la textura áspera del tronco. En cierto modo el árbol era también una casa, una arquitectura poblada por distintas especies que lo recorrían, lo penetraban, se nutrían de él, dejaban en sus extremidades una huella nacarada, una libidinosa saliva, una baba que esta noche brilla a la luz de la luna y que a Andrés le parece el vestigio de un acto de amor, un rastro indeseado en las sábanas recién puestas.

Piensa entonces, mientras desliza la palma de su mano por la rugosa superficie de la madera, que el árbol vive como viven los barcos: navega con su heterogénea población cautiva y, como el barco mecido por el viento, bambolea a sus disciplinados ejércitos nocturnos. Grillos que lanzan sus señales desde lo más oscuro de las sombras; hormigas que prolongan sus carreteras desde lo alto de la arboladura hasta la marea verde de los pastos, lineales y ordenadas como soldados de anacrónicas infanterías; mosquitos de consistencia tan mínima que sólo habitan los espacios ignorados por el viento: trincheras abiertas en la sinuosidad de la corteza, cavidades secretas, escondrijos, recovecos, todo envuelto por ese aliento protector que acompaña el tejido de la tela; arañas disfrazadas para el espanto, las reinas de este baile de máscaras, y también sus pálidas hermanas a punto de no ser, más parientes de lo efímero que del alarde; gusanos modestos, aburridos funcionarios recluidos en los barrios marginales de la pululante ciudad, arrendatarios silenciosos de los sótanos; pero también pájaros que instalan su nido en las alturas; y lombrices que desde el fondo del mar se aferran a la quilla, socavan los maderos sumergidos, se enrollan, lujuriosas y lúbricas, en las musculosas y hambrientas raíces. Todo eso, la mínima nomenclatura de lo visible, lo que avisaba el ojo y lo que capturaba el oído, y más allá de eso, todo lo que vivía en el árbol, y aquello con lo que el árbol vivía; lo que aparecía a la luz y también sus múltiples palpitaciones sumergidas. Todo eso —lo piensa deslizando lentamente la palma por la superficie áspera del tronco— los había acompañado, a él y a su hermano, desde sus juegos de niños: el vértigo desde las ramas más altas y el ocultamiento en los escondrijos anidados en las raíces, esa suerte de iniciación, el descubrimiento de un paralelo entre la misteriosa vitalidad del árbol y la inabarcable manifestación de la vida.

Sí, así nos íbamos imaginando el mundo, así lo íbamos descubriendo, pensaba Andrés sin atreverse a retirar su palma de la corteza, esa forma tan curiosa e inesperada de sentirse seguro. Percibió entonces una clara bocanada de alcohol y luego un brazo firme que le rodeó la garganta y acercó su cabeza a la de su hermano.

—¿En qué estás? —le preguntó Sergio, buscando cercanías.

—En esto —contestó Andrés para no decir nada, para no acercarse. Y se inclina para que su hermano retire el brazo, ese animal extraño aferrado a su cuello.

—Ya no es lo mismo, Andrés. No es nuestra casa. Lo mejor es irse luego de aquí —y le habla en sordina, no sea que los otros escuchen la conversación desde la terraza y se percaten de esta propuesta de fuga.

—Bueno, ya no te necesitamos. Puedes irte al Casino. Total, aquí no ha pasado nada —dice Andrés sin bajar la voz; no quiere entrar en el juego, no desea complicidades, prefiere marcar distancias, establecer diferencias definitivas.

—¿Me estás acusando? —pregunta Sergio retirándose un paso, tomando con más fuerza el vaso que ha empezado a temblar en su mano izquierda.

—¿Hay algo de lo que te pueda acusar?

—Es lo que te pregunto.

—Eso lo sabes tú mejor que nadie.

—Entonces díme lo que tienes que decirme y no te escondas en ese aire de víctima por extensión. Te cuesta entender que no haya hecho una denuncia, ¿verdad? Te cuesta entender que no haya ido a Carabineros a pedirles la inmediata devolución de la casa. Te hubiera gustado verme llegar a la comisaría agarrando la puerta a patadas y a los tipos de la solapa. Pero los uniformes no tienen solapas. Así de simple. ¿En qué mundo crees que estás? ¿Le has tomado el peso a lo que es vivir en este país? ¡Claro que es fácil disparar desde la ética, sobre todo a tipos desarmados! Lo que no entiendes...

—¡Por qué mierda les entregaste nuestra casa! —gritó finalmente Andrés, sin importarle que adentro lo oyeran, deseando tal vez que alguien se percatara de ese grito.

—¡No la entregué! ¡La arrendé para mandarte el dinero a Berlín! —contesta Sergio, ahogando su grito en la sordina que insiste en imponer.

—¡Por qué mierda se la arrendaste a ellos!

—Ya te dije que no sabía que eran ellos.

—¡Y cuando supiste, por qué no hiciste algo!

—¿Qué, por ejemplo?

—Hablar con alguien que te aconsejara. Tenemos amigos aquí, ¿no? ¿Por qué no hablaste con la Julia?

—¡Hacía siglos que no veía a la Julia!

—¿Y a la Cecilia? ¿Y a Manuel? ¿Y a mí? ¿Por qué no hablaste con alguien? ¿Por qué te callaste? ¿Por qué te escondiste con eso, si a ti mismo te hacía daño?

—Es que no es como tú crees, Andrés. Te juro que no es como tú crees.

—¿Qué no es como yo creo?

—Que me lo haya guardado. Que me escondiera con eso, como tú dices. Hablé con alguien.

—¿Con quién?

—Con alguien que tú conoces. No me pidas que te lo diga ahora. No me pidas, por favor, que te lo diga aquí.

Andrés dejó de mirarlo y trató de calmarse intentando sostener el mayor tiempo posible una inhalación profunda. Se acercó al árbol para desaparecer entre la sombra del follaje, sintió la tierra blanda y los tranquilos pastos bajo sus zapatos. Se abrazó al tronco que conservaba aún el calor de la tarde entre las infinitas estrías de su corteza. Y allí quiso permanecer.

—¿Qué te pasa? —preguntó Sergio después de un momento. Le preocupaba no verle la cara, no saber qué estaba pasando por el semblante de su hermano.

Andrés no respondió.

—Sigue siendo una maravilla de árbol —dijo Sergio y de inmediato sintió que eso había sonado increíblemente estúpido. Pero se calmó al escuchar la voz de su hermano, ya más serena, pero también más envuelta en un tono frío, distanciado.

—Es lo único que no ha cambiado.

—También ha cambiado. Estuvo a punto de secarse —y recordó que cuando a veces pasaba por ahí, muy de tarde en tarde, y sobre todo cuando la casa estaba ya vacía, veía desde la calle que el árbol se iba muriendo y que las ramas, ya sin hojas, estaban cada vez más secas, se iban poniendo más oscuras. Al final eran casi negras, parecían carbones en forma de brazos tratando de elevarse por sobre el techo de la casa—. Es un resucitado. Es como tú.

—¿Por qué piensas que soy un resucitado?

—Porque por fin has vuelto.

—Yo no he vuelto, Sergio. No digas eso nunca más.

—¿Qué?

—No he vuelto. Me voy dentro de unos días, y chao.

—¿Y los viejos?

—Bueno, trataré de ayudarlos desde allá.

—Tú sabes que ésas son palabras.

—¿Y qué puedo hacer aquí por ellos?

—Mucho, Andrés. Créeme.

—¿Qué?

—Ayudarlos. Con el solo hecho de estar aquí.

—No creo que sea posible.

Sergio consideró la drástica respuesta de su hermano y después de una pausa intentó contemporizar.

—Te entiendo. Créeme que te entiendo. Para ella no sería fácil acostumbrarse a todo esto.

—¿Para ella?

—Tu mujer.

—No tengo mujer.

—La que será tu mujer. Se dice que pensabas venirte con ella.

Andrés se volvió hacia el tronco del árbol e intentó refugiarse de nuevo en la contemplación de sus infinitas figuraciones. Sin volverse hacia su hermano dijo con voz apagada, separando cada palabra:

—No tengo mujer. Hace un año que vivo solo. Ocupo una habitación que no es más grande que un ropero en una residencia para profesores invitados de la universidad.

—Aquí dijeron que estabas a punto de casarte.

—Qué importa lo que se haya dicho. Creo que yo mismo lo dije. A mi mamá o a alguien. Ya no sé.

—Pero tenías una novia. Pensabas casarte con ella. Me lo contaste en una carta, hace más de un año, claro.

—...

—Perdona.

—...

—Ya encontrarás otra mujer... algún día...

—Supongo. Si ella ya se casó...

—¿Ves? ¿Por qué no podrías hacerlo tú también?

Andrés sacó la cajetilla de cigarrillos de su chaqueta y se la extendió a Sergio, pero su hermano la rechazó con un gesto. Llevó un cigarrillo a su boca y lo encendió, lanzando luego una larga bocanada de humo hacia el aire frío de la noche.

—A todo esto, ¿dónde estará la Julia? —preguntó.

34

Desde una silla en la terraza, Sonia observa dos siluetas que gesticulan dentro de la aureola oscura, esa sombra alargada que extiende sobre el césped la negrura del follaje. Sabe que una de esas siluetas es Andrés. Lo sabe porque no le ha despegado la vista en toda la noche. Dentro de la casa, arrellanados en los sillones del living, los demás siguen discutiendo, especulando: cómo pudo pasar esto con la casa, tan contentos que estaban, y es la voz de Marcela. Qué podían hacer ahora, qué lástima perder todo lo invertido en la restauración, y es Cristián. Y para qué perderlo, decía Julián, y esa voz coincidía con la opinión que ella hubiera adivinado en él aunque Julián no abriera la boca, no había por qué dejar una casa tan linda, mientras otros afirmaban que por nada del mundo seguirían viviendo allí. No podría dormir en una pieza que fue sala de tortura, decía Marcela, y Cristián dudaba, la inversión había sido considerable, con el tiempo todo se olvidaría, además no era seguro que allí hubiera ocurrido todo lo que Julia les había contado.

Y a todo esto, ¿dónde se metió la Julia? Al parecer, seguía durmiendo en la pieza matrimonial, acogida por la cama de la pareja y sobre todo por el Dormutal que la sumió en un sueño del que no despertaría hasta bien entrada la mañana. ¿Y dónde se metió Manuel? Está en la cocina, hablando por teléfono. Debe estar hablando con la Cecilia. Pero no, no era con ella que estaba hablando Manuel, como se supo inmediatamente, cuando entró apurado al living preguntando por Sonia, ¿dónde está la Sonia?, ¿han visto a la Sonia? Sí, en la terraza, dice Marcela, y piensa está donde está Andrés, así ha sido toda la noche, y quiere hacer el comentario en voz alta con Cristián, pero es mejor que no lo haga, no sea que se ponga celoso, no vaya él a pensar que es ella la celosa con los asedios de la Sonia al pobre Andrés... Expresión más justificada que nunca: ahora no sólo aludía a un exiliado, sino a un retornado a su nido de infancia hecho mierda, transformado en un infierno para mujeres indefensas, vendadas, atadas a esas camas eléctricas, violadas, arrojadas al horror y a la muerte. Sí, el pobre Andrés que en este momento es una sombra aferrada al árbol del patio, algo apenas más oscuro que la negra silueta del tronco, y entonces ahora el grito de Manuel desde el interior de la casa: Sonia, teléfono, teléééfonooo, así como se dice siempre «teléfono» desde una habitación a la otra, alargando las vocales, dándole a la palabra el aire mágico de una señal misteriosa y a distancia. Sonia se pone de pie como tocada por una descarga eléctrica, corre al interior de la casa, ¿quién podrá ser?, la Estela no más sabe que estamos aquí, qué habrá pasado. En la cocina, le dice Manuel apenas la ve entrar, y ya sobre el aparato negro, levantando el auricular y llevándolo con miedo a su oreja, ella se pregunta: ¿les habrá pasado algo a los niños? Aló, Estela, ¿qué pasó?, ¿están bien los niños? Ay, qué alivio... Sí, nosotros también, dígame, ¿no le dije que me llamara sólo si era algo muy urgente? ¿Quién? ¿Cómo dijo que se llamaba?

¿Usted lo anotó o está tratando de acordarse? Es que no conozco a nadie con ese nombre. ¿Por lo de su hija, dice? ¿Alumna mía? Ah, sí, ya sé, dígame exactamente lo que dijo. ¿Que era muy urgente? ¿Nervioso? ¿Gritaba, dice usted? Ah, no es que gritara enojado por algo, estaba alterado... Sí, así se dice, alterado. ¿Dejó un número adonde llamarlo? No tiene teléfono... ¿Me va a llamar de nuevo? Sí, pero si no estoy, déle éste no más, que me llame aquí si es tan grave como usted dice. Bueno, sí, como él dice. No, está bien, Estela, está bien, no tenía por qué darle este teléfono, pero ahora le voy a cortar, sí, déselo no más, voy a estar aquí hasta tarde, no importa la hora. ¿La fiesta? Sí, bonita, Estela, lo estamos pasando muy bien. Buenas noches... ah, vaya a ver a los niños, por favor, fíjese que estén durmiendo bien y tápelos, no sea que se resfríen, se puso helada la noche. Hasta más rato, Estela.

Y vamos ahora de nuevo a la terraza aunque es cierto que se puso frío el aire, incluso hay un poco de neblina, claro, ya es más de la una, cómo se nos fue la noche, por eso tengo tanta hambre, qué tonta haber tomado tanto con el estómago vacío, pero basta pasar por el comedor antes de ir a la terraza, mal que mal ahí está todo lo que habían preparado para esa noche, si lo único que no se ha puesto sobre el fuego es la carne, nadie ha mencionado siquiera el asado. Pero la mesa del comedor está cubierta de fuentes con ensaladas y salsas, e incluso trozos de diferentes quesos y panes cortados en torrejas finas, y frutas, y el queque inglés que trajo ella misma y que nadie ha tocado todavía. Toma entonces un plato mediano, coloca en él unas torrejas de pan, un par de trozos de queso, y se sirve vino tinto en una copa de pie largo como un flamenco, rosado también el cristal y por eso la incontrolable asociación con ese animal hermoso que jamás ha visto, salvo en la televisión. Con el plato y la copa vuelve a ocupar la silla de la terraza, el sitio del vigía, la magnífica atalaya para registrar los movimientos de Andrés que no se ha percatado aún de su presencia, eso es lo bueno, lo bueno es también que todos están dentro a causa del frío y ella es la única que observa a los hermanos desde la terraza. Lo bueno es que ahora puede observar sin ser observada. Esa Marcela que no le ha despegado la vista desde que llegó, y la Cecilia, que tuvo la estúpida idea de invitar a la Julia. ¿Dónde estará la Julia? Sí, por eso se había sentido sola toda la noche, vigilada por sus amigas, casi agredida por ellas. ¿Solamente por eso? ¿O por la sorpresiva indiferencia de Andrés? ¿O por lo que ha ocurrido esa noche en la casa? Todos están con los nervios de punta, pero nadie se va porque algo va a pasar cuando despierte la Julia, si es que despierta; o cuando regrese Cecilia, si es que.

¿O será la llamada? ¿No estuvo esperando durante días esa llamada, preocupada de Angélica, vigilándola en el patio durante los recreos, así como ahora está vigilando a Andrés? Buscándola con la vista entre tanto uniforme, tal como ha estado buscando a Andrés entre las miradas que la buscan a ella para transmitirle con los ojos el reproche. ¿Dónde empezó esto que ha vivido los últimos días? ¿Dónde empezó la incertidumbre, dónde la inseguridad, dónde empezó el miedo? Sí, eso es. La llamada que acaba de recibir, la voz alterada de ese hombre que la busca a medianoche, esa voz que ella no escuchó siquiera y que por ese solo hecho la busca con más desesperación, con más angustia. Esa voz imaginaria, eso es el miedo. Por eso le cuesta tragar el trozo de queso que puso sobre la torreja de pan fragante todavía, por eso sólo puede gustar el vino a pequeños sorbos mientras la copa se entibia entre sus manos que a pesar del aire fresco de la noche no están frías, un calor viene desde adentro, el susto es un calor, la premonición de otra desgracia, el miedo es un calor que empaña desde sus manos el vidrio rosado de la copa y también la pata estilizada, fina, alta de la copa, copa, qué curioso llamarse copa esto que me mira desde la mano sabiendo que tengo miedo, que detrás de ese telefonazo me espera agazapada la desgracia; copa se llama también la sombra que excede las techumbres vecinas, ese cuerpo de gigante adormecido que se mece apenas, llevado por la brisa; copa esa oscura culminación del árbol, bajo la cual Andrés sigue pegado a la madera, hablando con su hermano, apoyando ahora la espalda en el tronco, los brazos cruzados sobre el pecho, llevando también la cabeza hacia atrás, hasta sentirla apoyada en la corteza, y ella vigilante, atenta a cada movimiento, atenta mucho más a él que a su hermano, que cuando atraviesa ese muro que ella inventó despreciándolo, y que tiene también presencia en su ojo, lo ve sumiso, gesticulando a la manera del que se excusa, del que quiere explicar, del que quiere ser oído, del que quiere ser. Ella piensa entonces que así tendría que haberse presentado Angélica en la Inspectoría General, dando explicaciones, rogando ser oída, pidiendo perdón sabiendo que no sería perdonada, pidiendo que la dejaran ser madre y ser alumna, sabiendo que en esas condiciones ya sería muy difícil ser. Y de nuevo el paralelo involuntario, la sombra bajo el árbol y la imagen de Angélica riendo en el recreo, haciendo grupitos, secreteándose, ¿contándoles? ¿Y si así fuera, si todas lo hubiesen sabido? ¿Qué habrá pasado ahora? Y si todas lo hubiesen sabido, ¿qué puede pasar con ella ahora, si algo grave ha cambiado las cosas? Y el paralelo en las figuras tiene su prolongación en un paralelo de voces, la de Andrés diciéndole que nada lo haría más feliz que estar para siempre con ella, qué lindo sería que la vida les diera una oportunidad después de tanto y tanto, qué bueno sería que ella de nuevo tuviera confianza, sólo unos meses y estaría de vuelta para siempre, y la voz del padre de Angélica, que aún escucha en el recuerdo, pidiéndole una oportunidad, un par de meses, que le tuviera confianza.

¿Tendría que ver con eso la llamada? ¿Sería para saber si ella le había concedido esa confianza, si le había otorgado el par de meses que el hombre le pedía, que la niña le pedía, que el niño creciendo en su vientre le pedía? ¿O algo había cambiado sorpresivamente los planes? El otro miedo, perder a Andrés ahora para siempre, era de nuevo una coincidencia; también fue sorpresiva la conducta de esa noche, exactamente cuatro días atrás él le había pedido que lo esperara un par de meses, no había que perder la esperanza, y ahora tenía la sensación de haberlo perdido todo. Era otro el Andrés que dialogó con ella en el patio, evasivo, receloso, inhibido por la presencia de Julián. ¿Dónde estará Julián a todo esto? ¿Habrán resuelto el misterio de la casa vacía? Ahora entiendo por qué una casa tan linda estuvo tanto tiempo vacía, repiten una y otra vez Cristián y Marcela, Julián y Manuel, y a Sonia sus voces le llegan como desde un recuerdo remoto. Toda la realidad está ahí, concentrada en esa sombra que se confunde con el tronco del árbol y esa otra sombra, el recuerdo de Angélica en el último recreo, el grupito revoloteando hacia un rincón del patio y las primeras risitas nerviosas, y luego unos secreteos, y finalmente los ojos de la chica encontrándose con los suyos como si el contacto de las miradas produjera un flash, un fogonazo, un extraño fuego. Un fuego en el que se consumió la última noche, insomne, atravesada por la imagen de las niñas riéndose en el patio y la promesa de Andrés, esa voz que aún siente en su oído, todavía mezclada con el rumor de las sábanas y el ruido del tráfico que llega al hotel desde la calle. Sí, sólo un poco de confianza, escucha la súplica de Andrés sin dormir, escucha la respiración de Julián que duerme a su lado, escucha el ruego del padre de Angélica. Sólo unos meses. Confianza.

Dos sombras. Dos voces. Dos vendas.

Y ahora las palabras de la Chelita en la voz de la Julia, porque la Chelita se lo contó a la Julia y la Julia a ellas, hace tan poco, un rato antes de caer en el sueño:

Cómo iba a saber, si yo tenía puesta una venda.

O bien:

En todos esos días jamás me sacaron la venda.

O:

¿Se puede imaginar lo que es llevar esa venda más de un mes?

Llevar una venda más de un mes. Se fajan, se ponen vendas para que no se les note el embarazo, se van reventando con la venda, se van matando de a poco: se lo había dicho una colega en la sala de profesores cuando ella tocó el tema de las alumnas embarazadas simulando desinterés, como quien hace un comentario sobre algo que no lo involucra, que pasa lejos de la vida de uno, que apenas alcanza a la otra orilla y ni siquiera del mismo río. Se fajan, se van matando, se van reventando. Había otra venda, entonces. Y Angélica pronto comenzaría a usarla, era la única forma de evitar la notoriedad de la naturaleza, la manifestación rotunda de lo que nace, en este caso de la vida clandestina, del fruto prohibido, y recordó esa película francesa, una tarde de cimarra con dos amigas del liceo en el cine Toesca, mientras las compañeras matemáticas matemáticas inglés biología, cine prohibido, tarde prohibida, camino sigiloso por las calles del centro, ya vamos llegando, tonta, no nos vayan a ver, pegaditas a los muros, pegaditas a la sombra de las cornisas, asustadas, prohibidas, *El fruto prohibido,* la venda prohibiendo la exuberancia natural del fruto, la venda paralela, la venda colegio y la venda casa, la venda vientre y la venda vista, la venda que oculta a los ojos de las otras y la venda que oculta a la casa y las otras, a la Chelita, a todas las Chelitas que habitaron esa casa, a las torturadas hasta sangrar, a las vendadas, a las empujadas a los horrores del sótano, a los horrores del miedo, y la venda a la que desciende Angélica, pobre Angélica, tan joven y ya caída en el infierno.

No es bueno haber tomado tanto pisco, piensa ahora que siente el miedo como un vacío en el estómago, en su vientre, y también su cabeza llena de voces e imágenes que se superponen, se mezclan, se confunden, la van confundiendo a ella misma. Ya no sabe si partir hacia su casa, si esperar alguna reacción de Andrés, si esperar allí mismo la segunda llamada del padre de Angélica. Si salir corriendo como salió la Cecilia, aturdirse con un Dormutal como se aturdió la Julia, fajarse ella también, fajarse la imaginación para no ser nunca más tan estúpida, y la imagen del hotel, el ruido leve y confuso de la ciudad que llegaba hasta la cama a través de los gruesos postigos clausurados, *tienes que esperarme un par de meses, ten confianza, yo quiero creer.* Y quiso creer, y ahora quiere fajarse la bondad para no aceptar nunca más una petición que la vincule de una manera tan riesgosa a su alumna, a ese padre que ha llamado a su casa prácticamente a medianoche, a ese hombre que también le pidió un par de meses, un poco de confianza, tiene que creerme.

35

—¿Y el miedo, Chelita? ¿Cómo era el miedo?

Aturdida por el Dormutal, Julia sentía en el dormitorio de la pareja ese ruido del que había oído hablar tantas veces el último tiempo, incluso esa misma noche, en las pesadillas de Cecilia, distintas a las suyas pero en este punto idénticas: el quejido que apenas podía percibirse, que ella ya sabía no era sino el roce de las ramas del nogal sobre la ventana, agobiante en su insoportable repetición, cada vez más parecido a una voz humana, al lejano estertor de alguien que en alguna parte está llorando. Sentía también voces que llegaban desde lejos y que al acercarse iban coincidiendo en una sola, la voz inconfundible de la Chelita, las palabras encerradas en la carpeta que está ahora sobre la mesa del comedor —que dejó desaprensivamente sobre la mesa del comedor de su casa hace algunas horas, sin sospechar lo que venía— y que escucha ahora, como si también esa voz y esas palabras estuvieran iluminadas por la luz del farol que alumbra la frondosidad del árbol, y su quejido en el vidrio de la ventana, y su sombra meciéndose en las paredes.

—El miedo...

Y entonces Graciela Muñoz Espinoza —conocida ya por los asistentes al asado como «la Chelita»—

llevó sus manos a las rodillas, las apretó a los huesos que blanqueaban la malla color damasco de las medias, se quedó mirando su propio gesto, se perdió en esas pobres calaveras que delataban su condición también material, la vulnerabilidad que la obligaron a conocer y reconocer tantas veces en esa casa, cuando aún no era una casa vacía. Las rodillas estaban tocándose, y las manos, en las que los huesos repetían esa presencia blanca, presionando ahora sobre la misma piel y ya no las medias, se unían a esa consistencia ósea formando una extraña construcción de nudos y protuberancias, y piel, y arrugas, y pliegues, y pequeñas cicatrices que parecían recuerdos de infancia, y temblores que persistían desde un pasado muy reciente y que Julia observó sin pudor, atraída por la forma en que se hermanaban los huesos y la piel de esas rodillas con sus parientes casi idénticas, las articulaciones y la piel de las manos, crispadas éstas, apretando la huella del dolor para recordar el miedo.

—El miedo era eso: miedo.

Y luego saber que ahora vendría lo peor. Sentirlo en el corazón, en la piel que empezaba a sudar, en los ojos que apretaba detrás de la venda para que desapareciera el mundo. En realidad, lo que quería era otra cosa: que desapareciera el tiempo, lo que venía, lo que iba a venir de todas maneras. Y no es que quisiera detener el tiempo, impedir lo que de todas formas venía, lo que habría de llegar. No. Es que no podía o no quería pensar en lo que vendría. Le dolía el corazón, se sentía cayendo en algo que no terminaba, como en las pesadillas, y caía, caía, caía, estaba cada vez más empapada en su propia humedad, mojada entera, pero la boca cada vez más seca, más amarga. Y todo eso era el resultado de ese esfuerzo por detener el paso del tiempo. Sabía que en cinco minutos iban a llegar, los escucharía bajando los peldaños, sentiría que se acercaban y después oiría sus voces, sentiría esas manos en su cara, apretando la venda o comprobando que estuviera firme. Eso lo sabía, pero cuando eso finalmente llegaba, ya no era el miedo.

—Ahí yo podía gritar, y entonces me pegaban, pasaba todo eso que usted me ha dicho que no es necesario que le cuente. El miedo, lo que yo descubrí en el miedo, pasaba antes de escuchar que se abría la puerta y que los pasos se iban acercando, peldaño a peldaño, hasta llegar junto a mí. El miedo era esa horrible necesidad de parar el tiempo. Era lo que estaba antes de los pasos. Era ese momento que seguía pasando aunque una quisiera detenerlo. El miedo era saber que lo peor estaba por venir. Que llegaría en el instante siguiente. Sí. Creo que así podría contarle cómo era el miedo: tratar de impedir el momento siguiente y darse cuenta de que eso es imposible.

—¿Siempre igual? ¿Sin esperar nada? ¿Nunca pensó en otra cosa?

—Es que yo no pensaba. Estaba aterrada, simplemente.

—¿Y alguna vez habló con alguien en el sótano? Mientras sufría esa espera, quiero decir.

—No cuando sabíamos que ya iban a venir. En realidad una se siente tan sola.

—Por la venda, claro.

—Claro, por la venda. Pero en realidad no tanto por la venda. Mucho más por el miedo. Una nunca sabe si va a resistir. Y no siempre venían con el médico.

Seguía apretándose las rodillas con sus dedos muy abiertos. Se calló un momento y Julia sabía que no podía invadir ese silencio, esa extraña materialidad que había adquirido la total ausencia de palabras, eso que flotaba en el estrecho escritorio de la Vicaría, que había flotado alguna vez, que seguía flotando allí ahora, envolviendo la sombra de las cosas cuyos perfiles acentúa la luz azulina del farol que desde la calle entra al dormitorio de Cecilia y Manuel, aclara el dibujo del cubrecama, se tiende con ella, acompaña el quejido del árbol, el silencio de la Chelita.

—Eso es el miedo, Julita. Eso que una no es.

—¿Lo ha vuelto a sentir?

—Nunca como eso. Siempre tengo pesadillas, pero ahí se despierta a otra cosa. Si volviera a sentir lo mismo, yo creo que me mataría.

36

A esa altura de la noche Andrés quiso saber qué pasaba con Julia. Suponía que estaba tratando de calmarse en un dormitorio de arriba, pero el problema era llegar hasta la escalera sin que Sonia se percatara. Y como Sonia lo había estado observando desde hacía mucho rato, prefirió esperar el momento oportuno; sabía que si pasaba junto a ella, Sonia lo seguiría adonde se dirigiera. Cuando Julián se acercó a Sonia con un plato de ensaladas y se sentó a su lado, Andrés avanzó desde el jardín al estar, bordeó a la pareja dedicándoles una sonrisa y subió a grandes zancadas las escaleras.

El segundo piso estaba a oscuras, pero él sabía moverse en ese espacio al que se habituó cuando niño. Desde el dormitorio matrimonial se filtraba un cono de luz a través de la puerta a medio cerrar. Protegido por la oscuridad, se detuvo para oír y saber si alguien estaba con Julia. No se oía nada. Se acercó a esa rendija de luz que dejaba la puerta casi cerrada y contempló el espacio en el que durmieron sus padres durante tantos años. Se había transformado en algo muy distinto, eran otros los datos que la realidad le devolvía envueltos en esa semipenumbra. El respaldo de la cama era una armazón de bronce que brillaba con la luz de una lámpara de velador encendida. Era una luz débil que destacaba apenas el cuerpo inmóvil de Julia sobre la cama. ¿Dormía? Empujó la puerta con cuidado, lentamente. Ya estaba dentro del dormitorio. Se detuvo allí tratando de coincidir con ese silencio pesado. Sintió que Julia no dormía. Había una presencia despierta que acentuaba esa penumbra con algo parecido a la gravedad. Avanzó dos pasos cautelosos. No quería invadir lo que allí estaba ocurriendo. La débil luz de la lámpara marcaba desde el velador las líneas de un cuerpo recogido en una posición tranquila. Julia no se movía. Parecía incluso que no respiraba. Y esa postura perdida al borde de una cama enorme le sugirió la imagen misma de la vulnerabilidad.

Lo impresionaba ser testigo de su fragilidad y al mismo tiempo de su fuerza. Y sobre todo lo impresionaba constatar que esa fragilidad era la consecuencia de una empecinada fortaleza para cumplir aquello que había decidido era su misión, y que de alguna manera esa misma fragilidad era la principal razón del empecinamiento. La vulnerabilidad sólo tenía una compensación en la riesgosa ejecución de los actos más difíciles; éstos se habían transformado en la única forma de aferrarse a una fuerza que temía ir perdiendo día a día. Andrés se sintió de pronto sorprendido por la claridad de una paradoja que retrataba a su amiga mejor que nada. Y lo asombraba hasta lo indecible esta paradoja: sus expresiones de fortaleza la iban haciendo cada día más vulnerable, pero esa vulnerabilidad —y llegó a pensar que Julia lo adivinaba— era la fuente que nutría sus gestos generosos. Pensó que el desmesurado esfuerzo por salvar lo principal, la dignidad de todos en medio de esa locura que los precipitaba también a todos en el desquiciamiento, era un esfuerzo sostenido por miles y miles de seres frágiles, golpeados, arrinconados en sus últimas reservas, y que de esa humanidad y de ese esfuerzo al borde de sus límites dependía el destino de lo que verdaderamente importaba.

—¿Andrés?

Le sorprendió que ella lo advirtiera en la penumbra y sin haber girado su cuerpo para mirarlo. Dio algunos pasos y se sentó en la cama. Puso suavemente su mano sobre la frente de Julia.

—¿Cómo te sientes?

—Mejor. Tomé un calmante.

—Te va a hacer bien dormir.

—Ojalá pueda.

—Tienes que cuidarte.

—¿No estoy loca, verdad?

—¿Por qué dices eso?

—A veces pienso que estoy loca. Si me quedo dormida puedes irte con la Sonia.

—Puedo quedarme hasta que despiertes.

—Con el Dormutal me transformo en la Bella Durmiente. Tendrás que esperar varios años...

—No te preocupes, vendré a buscarte.

—Si me duermo, es mejor que te vayas con ella.

—¿Con quién?

—Con la Sonia.

—¿La Sonia?

—Sí, no pongas esa cara.

—¿Qué me quieres decir?

—Tú sabes.

—Bueno, si te quedas aquí alguien tiene que llevarme. No sé por qué tendría que ser la Sonia. Y en ningún caso me iría *con la Sonia,* como dices tú. Me iría con ella y Julián. ¿Por qué dices que debería irme con la Sonia?

—No he dicho que deberías.

—No sé lo que me quieres decir.

—Sí sabes. Y qué importa. Estoy muy cansada. Me estoy quedando dormida. ¿Puedes hacerme un favor? No sueltes mi mano hasta que me duerma. A lo mejor así no sueño de nuevo con lo mismo.

—Me quedaré contigo.

—Sólo hasta que me duerma. Ya falta poco... espero.

—...

—Les arruiné la fiesta.

—No digas eso. No has arruinado nada.

—Deben pensar que estoy loca.

—Nadie piensa eso.

—Aquí mismo debe haber estado la Chelita. Y tantas otras. En esta pieza. No puedo sacarme sus voces de la cabeza.

—¿Hablas siempre con ellas?

—Hace casi un año que no hablo con ellas.

—Entonces te costará menos. Tienes que hacer un esfuerzo. No te hace bien vivir siempre con eso.

—Aquí. ¿Te das cuenta? No te imaginas lo que les hicieron.

—Sí, Julia. Me imagino. Y sé que es terrible. Pero ahora tienes que descansar.

—Funcionaba como una oficina. Llegaban puntuales, como funcionarios públicos conscientes de que sus sueldos los pagábamos todos nosotros. Y la mayoría torturaba durante ocho horas. Había pausas para almorzar. ¿Sabías tú que almorzaban aquí mismo? Había un cocinero. O una cocinera, en eso las versiones no coinciden. Había también telefonistas, secretarias, médicos, expertos en electricidad, adiestradores de perros. Un equipo multidisciplinario muy eficiente. No puedo dejar de pensar que toda esa gente llegaba aquí puntualmente a las ocho para maltratar a pobres mujeres aterradas, vendadas, enloquecidas de pavor. Todos los días, toda esa gente. Y en todas las casas ocupadas para esto. Piensa además que en cada una de esas casas hay un personal tan completo como el que operaba aquí mismo. Cientos y cientos de chilenos que reciben puntualmente su sueldo, acumulan años de servicio, son premiados, reciben galvanos en presencia de sus hijos. Gente que parece normal. Gente que puede estar a tu lado en un restaurante, en el cine o caminando de noche por una calle solitaria. Gente que va a estar siempre ahí. Siempre.

—Ahora tienes que descansar. No vas a poder dormir si sigues pensando en eso.

—Doparme. Aturdirme. Ya lo hice de nuevo. Lo hago casi todos los días. Se llama Dormutal. A veces pienso que este país ya sólo puede dormir con Dormutal.

—Va a cambiar.

—¿Cómo?

—Con lo que hacen ustedes. Gente como tú lo va a cambiar.

—¿En serio piensas que esto puede cambiar algún día?

—Sí. Eso pienso.

—No necesito que me aturdas. Para eso basta con el Dormutal. Quiero que me entiendas.

—Te entiendo.

—Creen que estoy loca.

—No estás loca.

—Yo sé.

—Tienes que cuidarte, Julia. Descansa.

—¿Y cómo? ¿Cómo se hace eso?

—No hables. Trata de dormir.

—Aquí. Aquí mismo las torturaban. Aquí mismo las mataban.

Tercera parte

El derrumbe

Y al fin la casa abre su silencio,
entramos a pisar el abandono,
las ratas muertas, el adiós vacío,
el agua que lloró en las cañerías.

Lloró, lloró la casa noche y día,
gimió con las arañas, entreabierta,
se desgranó desde sus ojos negros,

y ahora de pronto la volvemos viva,
la poblamos y no nos reconoce:
tiene que florecer, y no se acuerda.

Pablo Neruda,
Cien sonetos de amor

CAPÍTULO DIECISIETE

37

La víspera de la tarde en que vio la nueva casa por primera vez, Cecilia visitó a su padre convencida de que la drástica determinación que había tomado debía contar con su consentimiento. Recuerda que sintió la imperiosa necesidad de contárselo esa misma noche porque quería dar de inmediato los primeros pasos en la dirección decidida: Manuel debía irse. Por lo menos un tiempo. Luego todo se ajustaría de otra manera. Incluso él podría quedarse a vivir en el departamento, ella encontraría algo más grande, para las niñitas sería mucho mejor una casa. Y como esa misma noche quería exigirle que se fuera, sintió que debía informar a su padre de esta decisión antes de ponerla en práctica.

Llegó a la casa de la calle Ricardo Lyon —la misma a la que se dirige esta noche de sábado con sus dos hijas durmiendo en el asiento trasero del auto— cuando el viejo, luego de tomar el té en su biblioteca, se preparaba para el baño al que se sometía dócilmente todas las tardes de invierno, antes de irse a la cama. A don Jovino le agradaba ese baño crepuscular. Culminaba los ritos del día metiéndose en la tina colmada de tibiezas y espumas fragantes, pensando que cuando se hiciera definitivamente de noche ya estaría en su cama avanzando en la lectura de su libro de cabecera, esa semana una biografía del mariscal Rommel.

Al llegar, Cecilia advirtió un ajetreo más notorio que el acostumbrado, unas carreritas más nerviosas de María, un semblante más duro de Iván.

—Lo que pasa, señora Cecilia, es que don Jovino está de un humor terrible.

María e Iván conocían mejor que nadie —incluso mejor que la propia Cecilia— las fluctuaciones en el ánimo de don Jovino. Lo habían acompañado en el servicio doméstico desde los días en que Cecilia era aún una niña. Por eso habían sido testigos no sólo de las tempestades anímicas del viejo, sino también de la inaugural ansiedad de los amantes jóvenes, y de los prometedores escarceos de ese amor que ahora sólo generaba carreras agitadas, visitas intempestivas, recriminaciones, lágrimas que Cecilia ya no era capaz de disimular. Habían presenciado —fue María quien abrió esa tarde la puerta— la aparición de Manuel por la casa, mucho más flaco entonces, con una gorra de cuero negro, un aire bolchevique de caricatura, una ruma de libros equilibrados apenas bajo su brazo derecho, y una voz nerviosa, tímida, una miserable voz de pito preguntando por Cecilia desde el portón de fierro forjado del antejardín. María e Iván tuvieron muchas veces la oportunidad de advertir los primeros abrazos, disfrazados de empujones y de juego, que se daban Cecilia y Manuel al salir de la piscina envueltos en la aureola del agua, empapados, chorreando sobre los pastelones calientes esas otras calenturas que ni las zambullidas aliviaban en sus cuerpos. Y fueron también testigos de los primeros besos y de los toqueteos ya más francos bajo los árboles del patio trasero, o protegidos por la penumbra cálida de la biblioteca, iluminada sólo por el fuego de la chimenea. Servidores leales y discretos, no sólo se alegraron de la felicidad inicial de la pareja; también se conmovieron con la desolada apariencia que adquirió en el semblante de don Jovino la conciencia de su capitulación. Fue entonces que empezaron a sorprenderse, además, con las frecuentes apariciones de éste en los foros y noticiarios de la televisión, y luego con las visitas cada vez más frecuentes de otros empresarios de la construcción que llegaban a la casa con aire preocupado, gestos de apuro y frases alarmantes. Acaban de dar la última noticia, dicen apenas se bajan del auto para llegar corriendo a la puerta de fierro del antejardín. ¿Ya llegaron todos?, preguntan. Hay varios señores con don Jovino, contesta María, y una vez adentro, caminando rapidito, ya entrando en la biblioteca, secretean: ¿supieron la noticia?, y siempre el semblante fúnebre podía agravarse con una desgracia nueva, una nueva quiebra, otra estatización, una nueva toma, otro embargo, una nueva expropiación.

Testigos de una historia tan dramática desde una posición tan modesta, María e Iván seguían yendo y viniendo con cafeteras y servicios de té, abriendo y cerrando puertas y portones, apagando luces cuando ya todo parecía terminado. Así vieron crecer cada tarde la autoridad de don Jovino entre las cuatro paredes de su biblioteca. Traían primero las bandejas con el té en el servicio de porcelana de Limoges y dos horas más tarde, cuando se suponía que los señores estaban ya por retirarse, los vasos de cristal Val Saint Lambert, refinamientos que don Jovino conserva como la más preciada herencia de su esposa muerta. Ofrecían el whisky, el agua de sifón y el hielo en completo silencio, mimetizados con el aire funerario de esas reuniones que cada día se parecían más a un velorio. Y todos sabían que estas reuniones tenían lugar allí debido al liderazgo que don Jovino iba consolidando día a día en ese grupo de empresarios. Así lo decían los diarios desde temprano y el comentarista de la televisión al terminar el día, cuando ya los señores habían partido con un semblante aun más preocupado; así lo escuchaba César, el chofer, y lo oían de él María e Iván ya en la cocina, mientras tomaban el mismo té que habían servido en la biblioteca.

Aunque era extraño en esos días, ese liderazgo alcanzado por don Jovino fue, al menos en un momento, más bien el fruto de su mesura que un producto de la intolerancia. Y esto lo sabía especialmente Cecilia, la más preocupada por la inminencia de un terremoto cuyos crecientes ruidos subterráneos iba escuchando día a día. Lo sabía muy bien y por eso no dejaba de maravillarse cada vez que oía un nuevo comentario en ese sentido. Era evidente que, a pesar de la manía correctora de su padre, la aceptación final de su noviazgo era una manifestación más del nuevo ánimo conciliador de don Jovino.

Este mérito era grande, sin embargo, y probablemente mayor que el calibrado por Cecilia, beneficiaria directa de la mesura del viejo. El estado anímico del país, y en rigor no sólo cuanto tuviera que ver con el ánimo, sino también con asuntos más tangibles, era francamente lamentable. Había mucha desesperación y, fruto de esta desesperación, un encono creciente, una rabia que aumentaba con toda la levadura que no llegaba a las mesas en forma de pan. Había una sensación de incertidumbre e inseguridad en aumento, pero también una creciente beligerancia, pues muy pocos buscaban sinceramente la paz. Prevalecían por todas partes, y cada día con mayor odiosidad, la descalificación, la intransigencia, la inculpación permanente y la confrontación. Pocas veces se sumaron en tan corto tiempo tantos leños a la hoguera que anunciaba a gritos el incendio que iba a consumir hasta el último rincón de una casa que ya muchos veían en llamas.

Sirviendo el té, retirando las tazas de la biblioteca o entrando a ella con la bandeja para el whisky, María e Iván, y alguna vez la propia Cecilia —que jamás hubiese interrumpido una reunión de su padre, pero que sí lo acompañaba en la biblioteca cuando estaba solo—, escuchaban expresiones como «si queremos recuperarlo todo, entonces no recuperaremos nada», o «si quieres recibir algo, tienes que dar algo», frase que Cecilia recordaría la tarde en que llegó a confesarle a su padre la decisión de terminar con Manuel; la víspera del día en que visitó —paradojalmente con el mismo Manuel— la casa nueva por primera vez.

38

Cecilia había ido a ver a su padre con el propósito de informarle de su decisión, tal vez con la esperanza de recibir su respaldo, probablemente deseando que él tomara el timón; ella, entonces, se dejaría conducir, como tantas veces, al puerto seguro de la determinación que el viejo dictara. Y esto lo recuerda ahora, algunos meses después, luego de recorrer la distancia entre la casa recién restaurada, ya perdida, y la casa antigua, aquélla en que pasó su infancia y que dejó sólo el día de su boda.

Esta vez llega con las dos niñitas envueltas en frazadas que protegen ese sueño profundo del que no las han arrancado ni el viaje, ni el ruido nocturno de la ciudad, ni los sollozos de Cecilia. Recuerda que aquella vez —le parece mentira, pero han pasado apenas tres meses— había abierto con la misma precipitación la puerta de fierro forjado del antejardín, recorrido con idéntica premura los pastelones que dividían en dos extensiones verdes el tranquilo césped sombreado por las encinas, trepado con ansiedad también idéntica los peldaños de la amplia escalera, hasta llegar —tal como esta noche, ésta desde la que recuerda— a la puerta del dormitorio de su padre. En ese momento vio aparecer a María secándose las manos en su delantal, paralizada junto a la puerta del baño. Cecilia advirtió como un descubrimiento su aire cansado, unas canas más notorias y una espalda menos recta, y se quedó mirando ese rostro familiar por el que habían pasado las risas ya perdidas y todos los semblantes de la desgracia. El mismo desconcierto de ojos enormes había visto en el rostro de María la tarde en que le contó —en ese mismo baño—, brutalmente, con una frase corta, lo que a ambas les sonó como un disparo: «me caso», mientras terminaba de maquillarse los ojos y María comenzaba a recoger las ropas abandonadas en desorden por el suelo, esa mañana en que la pobre se quedó mirándola con los mismos ojos incrédulos con que la mira ahora, doce años después. Me caso, y entonces desde el fondo de los ojos de la María el asombro ante la primera transgresión que había presenciado en esa casa desde que llegó, casi una niña ella también. Me caso, y era para no creerlo, ¿no había escuchado desde la cocina los gritos de don Jovino en su terca oposición? ¿No había escuchado, desde ese mismo baño en que están ambas ahora, los sollozos de doña Leonor sonando muy quedos en su dormitorio? Me caso, y entonces, ¿qué estaba pasando realmente en la casa y por todas partes, si los gritos no tenían consecuencias y las lágrimas carecían en realidad de motivos? Porque desde el anuncio de Cecilia la casa empezó a vivir para la boda; sus habitantes y cada rincón de nuevo engalanado, transformado, como se transformó también el ánimo de doña Leonor, ya muy enferma. Iván le contaba a la María que cuando la sacaba a tomar sol en la terraza que da al jardín de los gladiolos, escuchaba cada vez con más dificultad el triste resuello de su respiración. Pero María confiaba en que doña Leonor estaría allí para la ceremonia, tal vez no para disfrutar del oropel y la alegría, ni siquiera para presenciarla desde su silla de ruedas, sino para constatar la realización de la boda, razón por la cual rechazó todas las propuestas de postergación que hablaban a las claras de algo que nadie se atrevía a decir en voz alta: mejor esperemos a que doña Leonor se nos vaya y después de algunos meses celebramos el matrimonio. Para doña Leonor, hacer oídos sordos a estas sutiles sugerencias que casi siempre se pronunciaban a sus espaldas, por los rincones, en sordina, era una forma de estar al lado de su hija, apoyándola en su determinación. No hay motivo alguno para postergar la ceremonia, decía ella muy sonriente, y luego les preguntaba: ¿o hay algún motivo, según ustedes?

Las primeras invitaciones a la boda estaban llegando a sus destinatarios cuando otro anuncio conmocionó al país: la Cámara de Diputados declaraba la inconstitucionalidad del gobierno de Salvador Allende. La familia optó por no alterar lo planeado; la ceremonia se efectuaría el sábado ocho de septiembre, con doña Leonor postrada ya y esperando sólo la consumación del matrimonio para morir tranquila. El país entero esperaba otra consumación, menos privada, más inquietante, y que tendría consecuencias aun más definitivas en la propia vida de los novios: el golpe de estado de 1973.

La mañana del once de septiembre de 1973 sorprendió a Manuel y Cecilia disfrutando su luna de miel en un hotel de Rio de Janeiro, del que pudieron volver al departamento de Pedro de Valdivia —terminado de acondicionar en la víspera de la boda— recién el sábado de esa misma semana. Dicho de otra forma: el sábado ocho estaban sumidos en la algarabía de la fiesta, los abrazos, la contundencia de la cena y los tragos, el tranquilo reinado de la torta nupcial y el primer vals de la novia con su padre bajo la enorme carpa instalada en el jardín. El sábado quince miraban, corriendo apenas los visillos del flamante departamento, la penumbra de una ciudad sometida al silencio y a la muerte. Hasta el departamento sólo llegaban el ruido de los camiones militares patrullando las calles silenciadas por el toque de queda, el monótono estertor de un helicóptero que vigilaba la ciudad desde el aire y, desde el Estadio Nacional, el eco de los fusilamientos.

Doña Leonor falleció a fines de octubre acompañada por Cecilia, que no se movió de los pies de su cama hasta que su madre exhaló su último suspiro. Estaba consciente de que gracias su apoyo y su terca determinación de no morir mientras la boda no se hubiera realizado, ella pudo imponer de manera tan rotunda sus deseos a pesar de la oposición de su padre.

En uno de sus despertares más lúcidos, aliviado el dolor por la morfina que acababa de proporcionarle su médico, y ahuyentada la fiebre por las tabletas y los paños fríos que María estiraba sobre su frente, doña Leonor se incorporó lo mejor que pudo en la cama, apretó un rato largo la mano que Cecilia mantenía entre las suyas y, mirándola a los ojos, le preguntó si estaba verdaderamente enamorada de Manuel.

—Si no lo estuviera, para qué iba a casarme con él —replicó Cecilia sorprendida, acercando sus labios a la oreja de su madre. Quería ganar tiempo y descubrir lo que ésta realmente estaba afirmando. Pero no debió esperar demasiado. La pregunta siguiente contenía íntegra la enormidad de la afirmación:

—¿No te importaba más contradecir a tu padre?

—¿Y qué ganaría con eso?

—Tú sabes lo que ganas.

—Acuéstese, mamá, no le hace bien este esfuerzo.

—Tienes que tenerlo claro. Tú no sabes lo difícil que es oponerse a tu padre. No sabes cuánto te queda por delante. Ni el poder que él tiene. Ni lo terco que es. Ni siquiera sabes todo lo que te quiere. Y lo que me quiso a mí. Ahora quiero agua. Y que apagues la luz. Ahora quiero paz.

39

—¿Qué quieres?

—Que me ayude.

—¿Qué pasó ahora?

—Me separo.

—¿De nuevo lo mismo?

—No. Ahora es definitivo.

—Pero, ¿qué te hizo esta vez?

—Nada.

—¿Y entonces?

—No quiero explicarle. Quiero que me ayude.

—¿Cómo?

—Que me entienda.

—¿Que entienda qué?

—Que está bien lo que hago.

—Entonces díme por qué lo haces.

—Es que ya no aguanto más, papá.

—¿Qué pasó ahora, Cecilia?

—Nada nuevo. Pero no puedo seguir en esto.

—¿Y qué quieres que haga por ti?

—Quiero alojarme aquí un par de días. No quiero echarlo a la calle.

—¿Y qué resuelves con un par de días? Creo que te has vuelto loca.

—¿Por qué dice eso?

—Vienes aquí a pedirme un lugar por un par de días y no puedes darme una razón por la que te separas.

—Creo que no tengo eso que usted llama una razón. Y lo que para mí es esa razón, usted no lo entendería.

—Si ni siquiera podemos hablar...

—Papá, se fue apagando. Algo se fue apagando y ya no puedo vivir sobre esas cenizas.

—¿Se fue apagando? ¿Qué quieres decir? ¿Se fue apagando algo en ti o en él?

—En nosotros.

—¿Y cuándo se fue apagando en ti? Cuéntame.

—No sé cómo contarlo.

—¿Y en él? ¿Qué se fue apagando en él?

—Se fue metiendo como un caracol en su concha. Se recogió. Se contrajo en algo que yo no conozco. Se fue quedando sin entusiasmo, sin palabras, sin deseos.

—¿Te engañó?

—¿En qué sentido?

—Con otra mujer, quiero decir.

—No. No sé. No creo.

—¿Y entonces por qué? ¿Qué te ha hecho? Tendrías que ayudarlo si lo ves tan... tan apagado... como dices.

—Es que no sólo lo veo apagado, papá. Lo veo lejos. Tal vez yo misma me fui alejando y él no tiene la culpa de eso.

—Es tu culpa, entonces.

—¿Culpa? No, papá. No voy a seguir hablando si esto también va a terminar siendo una cuestión de culpas. No voy a caer más en esa trampa. Si quiere, hablamos de las noches sin amor, sin cercanía, sin deseos.

De las mías y de las suyas con mi mamá, si es que alguna vez se preguntó por eso. De las mías y de las de mi madre, ya que para usted esto debe ser un asunto de mujeres, «sensibilidad de mujeres», como usted dice. ¿Se preguntó usted alguna vez por las horas solitarias de mi madre? ¿Se preguntó por su soledad? ¿Por la de ella y también por la suya, papá? ¿Se preguntó alguna vez por esa distancia que empieza a crecer sin que uno la reconozca...? La distancia no empieza, al menos en mi caso, con algo distinto a esa simple, a esa terrible distancia.

—¿Te ha pegado?

—Nunca. ¡Cómo se le ocurre!

—¿Te ha robado?

—¿Qué?

—¿Ha tomado, sin decírtelo, de mis remesas?

—Ni siquiera sabe de eso. A veces creo que ni siquiera sabe que vivimos de lo que usted me da.

—¿Y entonces?

—¿Entonces qué?

—No te engaña. No te ha golpeado. No te ha robado. ¿Por qué quieres separarte?

—Bueno... tal vez porque esos motivos no me bastan. Quiero mucho más que eso. Quiero una pareja.

—¿Sabes qué es una pareja?

—No sé qué quiere que le diga.

—Una pareja es lo que descubres cuando la pierdes. ¡Mírame solo! ¿No soy una sombra de lo que era cuando tu madre estaba con nosotros?

—Es que yo soy una sombra ahora, papá. Siento que soy eso que usted llama una sombra. Tal vez porque Manuel ya se murió para mí, hace mucho tiempo.

—En eso nos parecemos, entonces. Tenemos algo en común. A lo mejor ahora me escuchas.

—Sí, lo escucho. ¡Estoy tan cansada!

—Mi viudez tiene la edad de tu matrimonio. Los años de mi soledad son los mismos en que tú tuviste compañía.

—Suponiendo que durante todos estos años la haya tenido.

—Sí, suponiendo. Estamos suponiendo. Pero te casaste poco antes de la muerte de tu madre, eso es lo que quiero decir. ¿Cuánto tiempo ha pasado? ¿Once? ¿Doce años? En estos días serán doce años. Tu mamá murió el veintisiete de octubre.

—Si sé, papá.

—La vida es muy cruel. Yo...

—Papá, yo no vine a...

—Es muy cruel no por lo que crees que te voy a decir. La mayor crueldad no está en la muerte que nos ronda. Es esa otra pérdida... Vivir el amor, creer que nada más importante nos va a pasar nunca... y luego verse un día cruzando a la vereda de enfrente para no tener que hablar siquiera con la mujer o el hombre que fueron para ti el amor de toda la vida.

—Tiene razón. Tal vez estamos hablando precisamente de esa crueldad. ¿Pero qué puedo hacer si ya está ahí? No vine para que me diga cuán cruel es lo que me pasa. ¡Y como si yo no lo supiera!

—No quise decir eso. Si lo entendiste así, perdóname. Quise decirte que es tan cruel que si uno pudiera hacer algo para remediar las cosas, para deshacer lo andado, para borrar lo que se fue haciendo en contra de nuestros deseos, entonces habría que hacerlo... ¡Sí, hay que hacerlo! Porque si eso de que hablamos es cruel, lo más terrible es cuando quieres remediarlo y no puedes, cuando quieres empezar de nuevo y ya se acabó el tiempo, cuando quieres seguir viviendo y entonces pasa, como pasó con tu madre, que un día sabes que en cosa de meses o semanas ya no va a estar más. Y que toda esa soledad de la que me hablas, y que seguro ella sintió alguna vez... o muchas veces... ya no tiene reparación posible.

—...

—Habría que hacer algo. A veces esa distancia, esa soledad, empieza sin que la notemos, y empieza a veces por una insatisfacción, porque algo falta... y no necesariamente afecto. ¿Están viviendo muy apretados?

—¿Qué?

—Muy al justo, quiero decir...

—Siempre hemos vivido así, papá. No estamos apretados, o no sé. No sé lo que es para usted vivir apretados.

—A él no le ha ido bien desde que dejó la Inmobiliaria.

—Pero tampoco podía seguir ahí, papá. Ésa no era su vida.

—¿Y lo que hace ahora? ¿Es ésa su vida?

—Papá, ¡eso sí que es cruel! Si usted sabe que ahora no está haciendo nada... No hay nada... No encuentra nada.

—Ahí puede estar la causa de todo. O al menos la principal razón. ¿Cómo puede funcionar una pareja en esas condiciones?

—¿Qué hora es, papá?

—Es tarde. ¿Te quieres ir? Me dijiste que querías quedarte unos días.

—¿Puedo?

—Puedes. Es tu casa. Puedes quedarte todo el tiempo que quieras. Pero voy a pedirte algo a cambio. Voy a pedirte un favor. Hazlo por mí. Hazlo por tu madre, que seguro te pediría lo mismo. Hazlo por ti, finalmente, y por esas pobres niñitas...

—...

—¿Hija?

—¿Sí, papá?

—Trata de nuevo. Que sea la última vez, si quieres. Hay que darle tiempo al tiempo... cuando se puede. Yo quiero hacerte un regalo. Como están un poco estrechos en ese departamento, voy a regalarte una casa. ¿Qué te parece?

—...

—Una casa nueva. Una casa en la que tengan el espacio que necesitan. Una casa con patio, para que puedan jugar mis nietas. Una casa para empezar una etapa nueva. Una casa para dejar atrás los años difíciles. Una casa que los vea juntarse de nuevo, y quererse, y no estar solos. ¿Te parece?

—...

—¿Te parece, hija?

—...

—¿Te parece?

—Voy a pensarlo, papá. Pero... ¿puedo quedarme aquí unos días?

CAPÍTULO DIECIOCHO

40

Así como la mariposa de luz revolotea en torno a la ampolleta de la terraza, ellos parecen girar alrededor de una oscuridad que no son capaces de advertir. Porque si bien tenían conciencia del deterioro de sus vidas, no sabían —salvo Sonia, y tal vez— qué era eso alrededor de lo cual sus vidas estaban condenadas a seguir girando. Según Sonia, la más lúcida de los afectados, el error fue casarse con Julián sabiendo que la vida posible, imaginaria, con Andrés se parecía mucho más a su idea de la felicidad. Andrés le hace ahora un saludo desde el patio alzando su copa y ella presiente que ese gesto esconde, en su nimiedad, la mentira completa a la que tampoco tenía sentido haberse entregado. Ese brindis a la distancia, ese brindis por nada, era un disimulo de su incapacidad de acercársele, caminar esos diez metros sobre el césped y decirle claramente qué es lo que había cambiado desde la víspera. De todos modos, ella seguía revoloteando alrededor de esa esperanza. No ya la esperanza de que le dijera lo que escuchó en el hotel, tan suave en su misma oreja, «ten confianza, tengamos nuestra oportunidad», sino simplemente «todo cambió, fue una ilusión, me equivoqué». Sí, era eso lo que ahora esperaba, y era tan distinto de lo que esperó esas últimas noches, tan distinto de lo que ahora hubiese querido oír, tan distinto, en verdad, de lo que tantas veces soñó escuchar en los últimos años. Responde sin embargo al brindis de Andrés levantando también su copa, le dedica una sonrisa y piensa que lo que él realmente desea es identificar su retorno con una persona, tocar el regreso como la tocó a ella en el hotel, besar y aterrizar el reencuentro.

Marcela revolotea también los misterios de esa noche girando en torno al sollozo de Andrés, esa muestra de vulnerabilidad que remueve algo extraño y casi perverso en ella, un mar de fondo ignorado, ese quejido agudo que la desvió de su camino al baño para acercarse a la pieza de su hijo Matías y descubrir que era el propio Andrés —tan enfundado en distancias durante la víspera y también esta noche, hace tanto rato con una copa debajo del árbol— quien se abandonaba al llanto ocultando sus sollozos en la zapatilla de Matías, pegada a su rostro como una continuación de su piel, o como una máscara, distinta a la que ella ve ahora, cuando observa el brindis a distancia que Andrés le hace a Sonia, y siente entonces que esa atención a su amiga —a la tonta de la Sonia, piensa—... ¿amiga?, es un verdadero descaro, una frescura que Andrés no debiera permitirse estando ella presente, mal que mal es la madre de su hijo. ¿En torno a qué revolotea Marcela, entonces? ¿Cuál es su oscuro eje? ¿Alrededor de qué se agita con ese sentimiento de molestia, al borde de la irritación? ¿Celos? ¿Revolotea Marcela en torno a una sensación de pérdida? ¿Le incomoda no ser ya el desaprensivo sol en torno al cual giraron los pequeños planetas emocionales de Andrés? ¿Son los celos esa luz oscura en torno a la cual revolotea su creciente desagrado?

Y si así fuera, alrededor de qué gira Cristián, tan seguro al llegar, tan seguro de llegar, tan confiado en su aureola y en el éxito, si su mujer no ha hecho sino espiar cada gesto de Andrés, a quien él odia desde que Marcela, hace tres noches y en la cama, lo llamó «el pobre Andrés». «Volvió Andrés, el pobre. Me lo contó la Cecilia, tenemos un asado el sábado.» Pero Cristián revolotea algo distinto a los celos. Lo que a él lo ilumina es un profundo desprecio a estos amigos de su mujer, a su juicio gente mediocre, sin victorias que enarbolar, sin conciencia de que hoy, como nunca antes, la línea divisoria entre el éxito y el fracaso es clara, tangible, se puede medir e incluso corregir, y es plenamente coincidente con aquélla que separa el bien del mal, la que nos hace justos o pecadores. De nada sirven ya los gimoteos del resentido, el país por fin cambió, está cambiando, cambiará mucho más. Por fin ya no hay espacios para los «pobres Andrés», para la fácil conmiseración, para una solidaridad sentimental que siempre fue bastante mentirosa, por lo demás. Habría que irse luego, ya no aguanta: ¡vámonos, Marcela, tengo sueño...!, y ella sí, ya vamos, pero la ve más pendiente de Andrés. ¡Ya vamos, Cristián, espera un poco!, quiero saber lo que pasa con la Julia, esperemos a que vuelva la Cecilia, es bien terrible lo que ha pasado. Y él piensa: lo que ha pasado es lo que tenía que pasar. No se hacen tortillas sin quebrar huevos.

¿Y en torno a qué luz —o a qué ignorada sombra— revolotea Manuel, con ese aire de camarero al final de la noche, medio borracho, llevando platos sucios a la cocina —hace rato que la Berta está durmiendo—, trayendo otra botella de vino, algo que compense, lástima que el asado quedó en lo que está a la vista: un enorme trozo de carne roja, fría, varado junto al asador, definitivamente lejos del fuego que se ha transformado en cenizas. La Cecilia tendría que haber vuelto, piensa desde su propia bruma, mirando la que ha bajado sobre el césped de su hermoso jardín. Sí, ya tendría que haber vuelto. ¿Por qué con las niñitas? ¿Por qué se las llevó, si era tan tarde? Y ve a Marcela y Cristián que discuten sentados en el sofá de la sala de estar... de *su* sala de estar, mierda. ¿Alguien quiere un vinito cosecha 73? Y Marcela mira a Cristián y baja la vista, Cristián se pone de pie y va hacia el ventanal que da al jardín, no les gustó el chiste, mala cueva. ¿Por qué iría donde el viejo de mierda que lo metió en esta trampa? ¿Sabía él lo que pasaría al final? ¿Era su jugada maestra? ¿El jaque mate?

Para tranquilizarse, para pensar en otra cosa, para seguir haciendo lo mismo que hacía por las noches en la cocina del departamento, y luego en la cocina de la casa recién restaurada, y esta noche en un sillón de la sala de estar, se sirvió otra copa, tardó varios empeños en prender un cigarro que sacó medio quebrado de una cajetilla que era otra miseria, y se dispuso al sorbo siguiente, a esa otra despedida, a esa renovada manera de borrarse. Pensó que no estaba nada de mal ese vinito.

41

La casa parecía de nuevo abandonada. No se escuchaba un solo ruido, ni una sola voz.

Julia dormía gracias al Dormutal que llevaba siempre en su cartera, o que esta vez le pasó Cecilia, sin pensar que Julia sabía cómo ayudarse en sus crisis, como lo sabían Sonia, y Marcela, y todas: el frasquito en la cartera, en el velador, en un rincón alto del ropero, según la adicción, según la confianza con el esposo, según el miedo. Eran minas colon-irritabilísimas, como decía en broma la Julia, y entonces se reían de esta nueva ocurrencia suya, dónde estará la pobre, metida esta noche en ese sueño profundo, en ese borrarse tan parecido a la muerte, ese cerrar los ojos, tragar y partir hacia lo otro: desaparecer. Esa fuga que emprende cada vez más seguido.

Cecilia, la anfitriona, estaba lejos, y ya era difícil pensar que volviera.

Manuel, sentado en el sofá, había renunciado a sus esfuerzos por no dormirse y emitía regulares ronquidos que a esa altura de la noche —en realidad de la amanecida— resultaban excusables. ¿Cómo saber en torno a qué revoloteaba en el sueño? ¿Cuál era la luz negra de su pesadilla? ¿Por qué se agitaba cada vez que sus ronquidos se suspendían abruptamente en un reclamo de aire que le hacía abrir la boca aun más?

Cristián y Marcela no podían despegarle la vista, presos del extraño espectáculo respiratorio como quien se entrega a la contemplación de una curiosa especie que nos cautiva sin saberlo desde el interior del acuario.

—Mira cómo abre la boca. Parece un pez fuera del agua —le dijo Cristián a su mujer.

—Pobre Manuel —dijo Marcela sin pensarlo siquiera, y sintió que a su lado, para seguir con imágenes *mare nostrum,* Cristián era un erizo con sus púas ofendidas. De inmediato supo que era el peor comentario que podía haber hecho, mal que mal no era tan frecuente la sagacidad de su cónyuge.

Andrés subió a grandes zancadas la escalera que lo llevó al segundo piso; quería saber qué pasaba con Julia. Arriba todo estaba en penumbras, pero a él le agradaba comprobar que sabía moverse allí en plena oscuridad. Era una curiosa sensación de pertenencia, ahora que la casa no le pertenecía a nadie. A tientas abrió la puerta del baño y encendió esa luz. Una claridad amarilla se derramó hacia el pasillo, llegando más débil hasta el interior de los dormitorios. Andrés se acercó al de la pareja y acostumbró su vista a ese mobiliario. El espejo de la cómoda repetía la luz del farol en la colcha celeste de la cama matrimonial. Sobre esa claridad divisó el cuerpo de Julia pesando sobre el lado izquierdo del lecho, un brazo caído sobre el costado, la mano pálida a punto de tocar la alfombra pequeña que cubría esa parte del parquet. Contuvo el aliento y escuchó entonces, muy débil, la respiración de Julia, que en el silencio fue sintiendo cada vez más pesada. Bajo el efecto del sedante, ella no sólo parecía haberse dormido para siempre. Parecía más bien haber abandonado esa casa en un gesto definitivo de despedida, se había borrado de allí. Había desaparecido con todas las voces y los recuerdos que la atormentaron esa noche, que le quitaban el sueño desde hacía años. Andrés dio un paso hacia la cama para ver si Julia reaccionaba, pero ni siquiera se alteró la intensidad de su respiración profunda. Entonces volvió sus pasos hacia la puerta y la cerró suavemente, para que continuara sin sobresaltos ese sueño aparentemente tranquilo.

Al salir del dormitorio matrimonial vio como una invitación el rayo de luz que desde el baño entraba en la pieza de las niñitas, eso que fue hace tantos años su dormitorio. En la pieza seguía flotando un olor a niños dormidos. La luz de la luna alumbraba dos rectángulos de luminosidad azulina, unas sábanas en desorden, las huellas de la fuga. Andrés prefiere no prender la luz. Busca en esa penumbra débilmente iluminada los ángulos que reconoce, el espacio que fue familiar. Pero todo ha cambiado. Cuando era niño, en el dormitorio había dos camas angostas apegadas a las paredes que hacían el ángulo opuesto al que formaban la ventana y el closet. En el centro se formaba un cuadrilátero que entonces les parecía muy amplio, dividido en otros tantos cuadrados que el parquet dibujaba en el piso. Allí, en este espacio que hoy le parece insignificante, hubo lugar para tantos juegos e imaginerías. No hubo trenes eléctricos, en verdad casi no los hubo en el barrio, en ese tiempo era una diversión exclusiva y costosa, había que reemplazarla por el tren imaginario construido con cualquier tipo de objeto rectangular que pudiera encadenarse; pero sí hubo un estadio entero, con graderías y cancha con las proporciones oficiales, con arcos y redes, con áreas y círculo central rayados también con tiza, y unos jugadores de cartulina que dibujaban cuidadosamente y luego pintaban con acuarela, recortaban y pegaban en las tapas de botella que conseguían por cientos en el almacén de la esquina, que en uno de sus rincones era más bien fuente de soda e incluso clandestino de cervezas y vinos que se vendían en jarras enlozadas. En esa pieza Andrés y su hermano Sergio habían soñado horas y horas, habían metido apasionadamente una parte del mundo: gritaban goles, imitaban transmisiones radiales, relatos acelerados y gritones de partidos que transcurrían más en la imaginación que en el movimiento, bâstante rígido, de las tapas de botella al ser impulsadas por el índice o el mayor, según fuera la cercanía del botón que hacía de pelota y la habilidad del dedo llamado a desencadenar el milagro del gol. Sí, toda esa maravilla cabía en ese espacio pequeño. Como cupo también el asombro del mundo en las paredes que se fueron llenando de afiches y fotografías, de banderines y emblemas. Los clubes de fútbol. Andrés puso el equipo de Colo-Colo en imagen gigante y Sergio el banderín, también gigantesco, de la U. Luego vino Elvis Presley, pasión compartida, y más tarde Claudia Cardinale, asediada por las miradas sin inocencia de los dos hermanos y las palpitaciones de un solo corazón. Y luego la imagen inolvidable del Che, la boina con la estrella, la barba rala y la mirada firme de cristiano iluminado, ese ícono que estuvo en la cabecera de los jóvenes inflamando muy diversas rebeldías. Y como si la Cardinale hubiese decidido bajar de la pared para sentarse más cómodamente en la cama, un día apareció la primera polola con el mismo peinado de los sesenta, idéntico vestido blanco, porque había que irse de ahí a la fiesta, al baile del sábado (otra fiesta de sábado, en otro tiempo), y unos meses después la polola de Sergio, más tímida, más polola del hermano chico. Es que ya les estaba quedando estrecha esa pieza, se notaba mucho más cuando uno quería fumar y el otro no, cuando ocurre la inevitable primera borrachera con sus penosas consecuencias, y luego la primera enfermedad que requiere de cuidados mayores, y entonces Sergio se fue a dormir en el sofá mientras Andrés se recuperaba de una hemorragia a causa de una úlcera duodenal, y el recuerdo ahora de los gestos del hermano: ¿quieres que te traiga un vaso de leche antes de acostarme? ¿Quieres que le lleve una carta a la Silvia? ¿Quieres que te pase un puchito? El mismo hermano que hace un momento, bajo el árbol, quiso cerrar la grieta del tiempo y de tantas otras cosas para decirle que todo había cambiado, que había que irse, la casa no era la misma, ni ellos eran los mismos hermanos. Y luego de esa experiencia inicial de la postración y de las penurias del cuerpo, la primera experiencia de la muerte. Tuvieron que dejarle la pieza al abuelo y se instalaron en el living juntando en las noches el sofá y los sillones, improvisando una cama en que se dormía mal, no sólo porque eso no era una cama como la gente, sino porque desde la pieza expropiada llegaban los quejidos terribles del abuelo que se moría. Recuperaron finalmente la pieza con la sensación de que algo mucho más importante se había perdido para siempre. Luego supieron que no hay inocencia más radical que la de una vida en que nadie cercano ha muerto todavía. Aprendieron también que esa abnegada entrega al cuidado del abuelo (era el abuelo paterno, y la madre le entregó todo su tiempo y sus desvelos) era algo distinto a la conducta cotidiana de la gente, era una fuerza y una voluntad que aparecían exigidas por algo que excedía el modo y la medida habitual de los hombres. Así es que cuando uno o dos años después le sobrevino la segunda hemorragia que lo puso de cara a la muerte, él sabía que de nuevo todo en la casa alcanzaría otra dimensión, se encumbraría por sobre lo habitual y conocido y lograría la generosa dimensión que imponen las grandes circunstancias y que él ya conocía. Su hermano paseaba tranquilo por el patio hasta tarde, para no quitarle privacidad en su pieza, la de él también, de la cual por tercera o cuarta vez era exiliado. La madre adelgazó de miedo y de trabajo. El padre dejó de fumar para costear las medicinas. Todo se hacía para ahuyentar a la muerte. Sobre todo si era la muerte de un habitante de esa casa. Todo se hacía como un ritual, como un silencioso homenaje a la vida. Recordó la frase de su hermano: «No le digas que te vas de nuevo, él te necesita más que nunca». Y en un instante —en ese instante en que recordó las enfermedades que agitaron esa pieza y los escarceos de la loba en ella— entendió el sentido de la invitación de su hermano y quiso bajar para reconciliarse, para explicarle algunas cosas, para tomar una copa juntos antes de separarse de nuevo. ¿Acaso su padre no esperaba secretamente aquello que los encumbraría hasta el gesto del verdadero amor?

El viento que mueve el follaje produce también un movimiento de sombras que se aprecia con más intensidad sobre las paredes y sobre los rectángulos de claridad que forman las camas deshechas de las niñitas. Desorden de camas sin hacer, usadas; revuelo de sábanas que se enredan en los pies; rumor de ropas que entran en la fiesta de su noche inaugural, esa primera vez; la noche en que Marcela se quedó con él, cuando sus padres tuvieron que ir a un matrimonio en Valparaíso.

Estaban en cuarto año de filosofía. Seis meses después decidieron casarse. Como se hace en Chile:

para irse de la casa, para dejar el nido, para poder pololear, para poder hacer normalmente aquello que no es normal para la familia. ¿Qué pasa ahora con Marcela? ¿Qué pasa con su hijo, ese ser tan extraño y entrañable como nadie? El hijo tenía cuatro años cuando Andrés comprendió que ya no podría seguir viviendo con Marcela. ¿Qué pasa con su hijo ahora? ¿Es parte de la historia de esa pieza? ¿Es la continuidad de esa historia? ¿De ese rincón de la casa en el que Andrés durmió hasta la edad que hoy tiene su hijo? ¿Y cuándo entró la violencia en esa historia?

Ahora lo siente de manera muy nítida: desde que llegó todo le ha parecido anormal y violento. Era ésa la causa de un desagrado subterráneo y continuo, de un encono que no quería aceptar, de una sensación de incongruencia entre su ser y esa réplica irreconocible de un pasado que se negaba a morir en su memoria. Antes del tercer día supo de un crimen, y al siguiente creyó ver al victimario en un ascensor. Esta noche ha sido testigo de la multiplicación del crimen. Pero también recuerda que el malestar era anterior al conocimiento de esas muertes. Empezó con la lectura del gran letrero que a la salida del aeropuerto prometía lo contrario de cuanto ha visto en su regreso. *Chile avanza en orden y paz.* Ahora sabe que el dormitorio de un niño dice mucho más sobre la paz y el orden que los letreros instalados en las carreteras.

Hace unas horas en esa pieza dos niñas dormían profundamente sobre un parquet restituido, limpio de las huellas del horror. Las niñas dormían sobre lo que habían sido unas manchas negras hundidas en la madera y que según Cecilia eran como quemaduras. Es que hubo allí quemaduras. Hubo mujeres flageladas. Hubo tortura y muerte. Por eso las manchas parecían quemaduras. Y allí, hasta hace un par de horas, las hijas de Cecilia estuvieron jugando y riendo, como jugaba y reía él con su hermano.

Tuvo la intuición de haber vivido en algún tiempo anterior lo mismo que estaba experimentando ahora. Al menos esa nítida sensación de que era expulsado de un espacio propio. Pensó que ese antiguo espacio eran su infancia y su juventud perdidas para siempre. Se acordó de una discusión también antigua en Los Cisnes, a la salida del Pedagógico, una discusión sobre la validez de buscar significados a un cuento de Cortázar. Habían leído en clases *Casa tomada* y la discusión continuó en el café. Algunos sostenían la inconveniencia de aventurar lecturas interpretativas cerradas. Es como cazar mariposas, las prefiero en el aire, había dicho Manuel. Es como clavar el vuelo en el insectario, agregó Cecilia, y la frase final a la que arribaron fue el patrimonio común que los dejó satisfechos en el momento de pagar las cervezas: era como fijar en un insectario y con alfileres propios del simbolismo a ese enorme matapiojo de alas extendidas que sólo se parece a Cortázar en el vuelo, nunca en el concepto decantado. Y sin embargo ahora siente que la casa tomada del cuento es como ese cuarto de niños, como esas otras partes de la casa que también fueron ocupadas, fueron tomadas, se lo expulsó de ellas. Y no sólo se lo expulsó a él, a fin de cuentas eso no es lo que importa en su reflexión, sino todo lo que tiene o tenía que ver con él y con su casa: su forma de sentir, de valorar, de ser.

Habrá que salir luego, piensa; el rumor de la muerte es aquí espantoso, habrá que salir pronto a la calle y tirar la llave en la primera alcantarilla, no sea que alguien, por error, entre aquí y se encuentre con todo esto.

Se acercó a la escalera y bajó al living. Al llegar al último peldaño vio primero el resplandor de la luz en el espejo de cuerpo entero que había al final del corredor, y luego su propio reflejo. Era él esa réplica de su desolación, ese cuerpo ya algo encorvado, no sabe si porque la noche se hizo demasiado tarde o porque los años se hicieron demasiado largos. Recuerda unos versos de Neruda:

Se fueron todos, la casa está vacía.
Y cuando abres la puerta hay un espejo
en que te ves entero y te da frío.

Quiere hablar con su hermano, recordar los juegos, la casa vieja, ese otro tiempo. Quiere tomar algo con él, que se toquen las copas, que suene el saludo, que parezca un abrazo como el que Sergio buscó junto al tronco del árbol. Cuando llega al centro del salón, Sonia —interrumpiendo un segundo esa discusión en sordina que tiene con su esposo— le dice que Sergio e Ivette se han ido. Manuel, ya bastante borracho, se está helando en la terraza, sin camisa, llevándose con dificultad otra copa a los labios, la mirada fija en el enorme trozo de carne varado ahí, tan cerca del asador pero ya tan lejos del fuego. Entonces Andrés decide irse sin que nadie lo note. Va a la cocina seguido por la mirada de Sonia; ella, al verlo pasar, le pide un vaso de agua. Andrés sabe que en la cocina hay una puerta que le permite salir a una parte lateral del patio, y de allí al portón verde con mirilla, y de allí a una calle que le parece sumida también en el silencio y la muerte.

Piensa: seguro que la Julia va a dormir hasta el mediodía. Mañana llamaré a la Sonia. Nos juntaremos en algún lugar más neutral que su casa o que ese restaurante chino. Sí, un lugar neutro, sin memoria. Allí le diré que en pocos días tengo que partir. Y que he decidido no regresar.

CAPÍTULO DIECINUEVE

42

Entró a la pieza del viejo envuelta en un aire de temor que tenía cuarenta años de historia. Estaba de nuevo frente a su padre.

Don Jovino, erguido sobre la ancha cama matrimonial como si estuviera sentado a la mesa del directorio, parecía estar esperando su visita. Pero la verdad es que nada hubiese esperado menos que la afligida aparición de Cecilia a esas horas de la noche, que para don Jovino eran desde hacía mucho las del comienzo del sueño. Y sin embargo estaba desvelado. El baño de sales y las fragancias que llegaban a su cuerpo en las manos de María e Iván, invisibles bajo la espuma, no habían tenido esa noche el efecto acostumbrado, y sin embargo el cansancio y el desvelo no lograban minar el porte recto y severo de don Jovino, que clavó una mirada de águila en los ojos llorosos de Cecilia, mientras se preguntaba qué nuevo desastre la traerá aquí a estas horas, seguro que de nuevo pelearon, ahora será más difícil hacerlos recapacitar.

¿Qué estoy haciendo aquí?, se preguntaba Cecilia tratando de sostener la mirada inquisidora de su padre. Había venido en busca de refugio y encontraba al padre severo de siempre, al juez implacable, al corrector que ahora está observando el reloj —no debió venir a esa hora sin avisarle, llamar antes hubiera sido lo correcto—, que está observando también, molesto, su apariencia descuidada, ese viejo chaquetón de gamulán lleno de manchas, sus cabellos en desorden, hasta que se detiene por fin en el rostro de su hija, donde persiste la huella de las lágrimas, y entonces por primera vez un gesto parecido a la preocupación ensombrece su propio rostro.

A Cecilia la invade una sensación de desagrado, se siente culpable, presiente la desaprobación. Se queda a los pies del lecho, apretando su rodilla contra el armado metálico, sintiendo ese contacto frío con su piel desnuda como una réplica de esa mirada que desnudaba también sus posibles defensas y le impedía acercarse como hubiese querido, sentarse en la cama, tomarle una mano y apretarla para pasar del frío metálico a la tibieza de otro cuerpo, y que entonces él la mirara de otro modo, le preguntara, perdiera en su cabeza una caricia, la consolara, le dijera que todo estaba bien, que estuviera tranquila, que era un mal sueño, esas palabras que quiso oír cuando niña, que hubiese querido oír más que nunca esa noche.

—Díles que no suban —le dijo refiriéndose a Iván y María, que esperaban en el rellano de la escalera alguna orden suya—. No necesito nada, pueden irse a dormir.

Tampoco necesita nada de mí. Me tolera. Quiere que me vaya luego, pensó Cecilia. Cree que no necesita nada de nadie. Que nadie debiera necesitar algo de los otros. ¡Y cómo lo necesito yo ahora! ¿Cómo empezar? ¿Cómo contárselo?

Miró otra vez la cama. Todo era limpio, pálido y fragante. Ella conocía esos perfumes, aprendió a reconocerlos en su madre, a reconocerla en la oscuridad de la pieza cuando ese perfume venía hacia ella para el beso de las buenas noches. Y mucho después lo reconoció en su padre cuando se acercaba a mirar sus tareas del liceo, ella expectante, ansiando una palabra suya, un beso, un abrazo en lugar de la corrección habitual. Escriba más claro, eso nadie lo va a entender. Es mejor si deja un margen para hacer correcciones. Y ya estaba hecha la primera corrección, la que siempre venía de él, la que debía agradecer, pues «así la próxima vez lo harás mejor», antes de recibir una mezquina caricia en la cabeza que ella atesoraba por días esperando la próxima vez, porque la próxima vez no habrá errores, se esforzará, trabajará mucho, será la primera y su padre entonces sí la abrazará, y ella podrá sentir por fin esa tibieza que acompaña al perfume, esa fragancia y esa calidez que junto al «buenas noches» de su madre aprendió a reconocer desde niña.

Ese perfume invadía sutilmente la pieza, mezclado con la colonia que María e Iván habían refregado en su cuerpo en la etapa final de la ceremonia vespertina: sacarlo de la tina, secarlo, colocarle el piyama y dejarlo sobre la cama matrimonial, ese lecho solitario en el que descansaba ahora. A Cecilia le pareció que ese aroma era el aura natural de la figura cuidada, pulcra, correcta de su padre. Y llegó incluso a sentir que era el olor de los dos ojos enormes y negros de don Jovino que se clavaron en los suyos antes de que pudiera acercarse al borde de la cama.

—¿Terminaron ya la fiesta? —preguntó el viejo.

—No, papá. La fiesta no ha terminado.

—¿Qué hora es?

—Las doce, más o menos.

—¿Piensan divertirse toda la noche?

—No sé.

—¿Estaba linda la casa?

—¿Por qué no vino?

—¿Vino? ¿Quién dijo vino? Pasen el vino.

—¿Qué?

—Me acordé de un chiste de juventud, cuando salíamos a celebrar con amigos. Como ustedes esta noche. Si alguien decía, por ejemplo, «y por eso no vino», había que preguntar de inmediato: ¿vino?, ¿quién dijo vino? Sirvan más vino.

Don Jovino quiso reírse de su propio chiste, más bien dejarse llevar por la calidez de la imagen que recordaba, pero su risa no pasó de ser un una seguidilla de toses agudas que agitaron sus pulmones arrasados por el tabaco y el tiempo.

—¿Cómo está, papá?

—Como me ves.

Cecilia calló.

—¿Y cómo me ves? —preguntó don Jovino.

—Bien, papá. Lo veo bien. ¿Por qué esta noche lo bañaron tan tarde?

—Porque desperté un poco agitado y les pedí un segundo baño. ¿Y a ti qué te pasó? ¿Por qué estás aquí?

—No estoy sola. Vine con las niñitas.

—¿Dónde están? ¿Por qué no las traes?

—Están durmiendo, papá. No quise despertarlas.

—¿Las trajiste dormidas?

—Sí.

No quiso agregar nada más. El viejo esperó unos segundos y luego subrayó el silencio de Cecilia con una mirada aun más escrutadora de sus ojos de pájaro, una mirada en la que seguía estallando el núcleo de su temor: si salió de su casa a esta hora, y con las niñitas dormidas, algo grave había ocurrido. Cecilia sintió que por fin tendría toda su atención. Además ya le había preguntado dos veces por la casa. ¿Pero cómo decírselo? Pensó durante todo el viaje cómo ser cuidadosa, pero ahora sentía que era difícil contenerse.

—¿Estaba linda la casa? —preguntó el viejo luego del largo silencio. Y agregó, para que Cecilia hablara—: Pensé que venías a contarme cómo estuvo la inauguración.

Cecilia seguía buscando la forma de contárselo. Y creyó que ése era el momento preciso.

—Estuvo horrible.

—¿Horrible? ¿Qué estuvo horrible? —susurró él.

Entonces Cecilia advirtió que se estaba quedando dormido.

—Todo.

—Pelearon de nuevo.

—No.

El silencio del viejo le indicó que si quería hablar esa noche con él debía apurarse, evitar que se durmiera. Se acercó al borde de la cama, sentándose en el amplio espacio vacío donde durante años durmió, soñó, amó y se fue muriendo su madre. Le puso la palma de la mano sobre la frente, la sintió fresca, era la tranquila cabeza de un hombre sano a punto de dormirse. Entonces le preguntó:

—¿De dónde sacó esa casa, papá?

—¿La casa? ¿Qué pasa con la casa?

—¿Usted no sabe?

—¿Qué?

—Abra los ojos, papá. Necesito hablar con usted.

—Díme. Pero estoy cansado.

—Yo también papá. Estoy muy cansada. Ya no sé qué hacer... Creo que ya no resisto —y se inclinó sobre él, le tomó la mano inerte que ya dormía sobre las frazadas, la besó y la retuvo entre las suyas, tratando de animarla, para que él despertara.

—¿No pelearon?

—No.

—¿Tiene que ver con la casa, entonces?

—Sí. La casa.

—Quedó muy linda.

Y advirtió que de nuevo estaba cayendo en el sueño.

—Es horrible, papá.

—¿La casa? ¿Qué pasó?

—¡Dígame cómo llegó a sus manos!

—¿La casa?

—¡Sí, la casa! ¡De eso estamos hablando! ¡De la casa! —gritó sin hacer ningún esfuerzo por contenerse.

El viejo abrió unos ojos que le parecieron enormes pero vacíos de cualquier pregunta. Unos ojos sin vista y sin asombro.

Hubo una pausa larga. Ahora ella sabía que él también sabía.

—Pensé que era una buena casa.

—¿Esa casa?

—Restaurada, era una casa magnífica.

—¿Esa casa, papá? —insistió Cecilia en la pregunta y en el acento: quizás ya no estaban hablando de lo mismo.

—Eso pensé.

—¿Entonces usted sabía lo que fue esa casa? —y le soltó la mano, que cayó de nuevo inerte sobre las sábanas.

—¿Sabía qué? —preguntó el viejo desde algo que ya no era sólo una caída en el sueño.

—Lo que se hacía en esa casa —dijo Cecilia con voz firme.

El viejo no dijo nada, pero ahora la miraba directo a los ojos. Cecilia recurrió a los magullados restos de su antigua fuerza, porque le costaba muchísimo repetir la pregunta.

—Usted sabía, ¿verdad?

Sintió que el nuevo silencio era una confirmación.

—¿Por qué no me lo dijo? No cierre los ojos, papá. No se duerma. Yo necesito que me cuente lo que pasó. Y que me lo cuente ahora.

Hubo una extraña expresión en su rostro, algo que ella no alcanzó a definir. El viejo estaba en silencio y sin embargo quería decirle algo, algo que finalmente dijo a borbotones, atropelladamente, enredándose en sus propias salivas, escupiéndolas, ahogándose al alcanzar el tono agudo del grito.

—¡Estás loca! ¡Cómo puedes creer esas historias! ¡Con qué derecho me dices esto, si les he regalado esa casa para que por fin aprendan a vivir como la gente! Siguen como el perro y el gato por culpa de toda esa gente de mierda que les ha envenenado la cabeza. ¡Y no se te ocurra andar repitiendo esas cosas por ahí! ¡Es muy peligroso! Pero díme, vamos a ver, ¿quién te ha hecho ese lavado de cerebro? Tus amigos de esta noche, ¿verdad? Tus agradecidos invitados, tus amigotes de Filosofía. ¡Jamás debiste estudiar eso, te han llenado la cabeza de invenciones ridículas y resentimientos... resentimientos y odios... eso son... una manga de resentidos que nos llevaron al borde del infierno... qué digo al borde, al infierno mismo... ¿O ya no te acuerdas? ¡Manga de resentidos sociales, eso son tus amigos! ¡Por eso no fui a tu fiesta!

En su furia don Jovino volcó el vaso de agua que intentó tomar del velador para calmar un repentino estallido de toses. El agua se derramó sobre su piyama y sobre las sábanas, que se hundieron en una tonalidad más oscura, levemente azulina. Cecilia lo miraba incrédula, sin atinar siquiera a levantar el vaso volcado sobre la cama. Le costaba creer lo que estaba oyendo. Cuando sus miradas se encontraron, se produjo también un relámpago de revelaciones. En el fondo de los ojos de su padre, que la miraban fijamente, Cecilia descubrió que esa ira era la del acosado, la ira del culpable, esa otra forma del miedo. Don Jovino, mudo ahora, incapaz de abrir la boca de nuevo, empapado, estaba tiritando con espasmos que lo agitaban en la cama mojada.

Ella lo mira fijamente, sin decir nada. Don Jovino rehúye la mirada. Están largo rato en silencio. El viejo se va achicando, hundiéndose en la cama como en un refugio.

—¿Cómo llegó esa casa a sus manos, papá?

Don Jovino cierra aun más los ojos, aprieta los párpados, y por el ángulo que forman hacia la sien empiezan a rodar las primeras lágrimas.

—¡Dígame cómo llegó a sus manos!

—...

Cecilia insiste porfiadamente, ahora también con rabia, acentuando y separando cada palabra.

—¡Dígame cómo llegó a sus manos!

—¿La casa?

—¡Dígame cómo llegó a sus manos, papá! —dice ahora con un dejo amenazante, como se le pregunta a un niño que se niega a confesar una maldad—. ¡Míreme, papá!

Sin darse cuenta ha llegado a sentarse en la cama, junto a él, y ahora siente las sábanas mojadas en sus piernas, pero también el último vestigio de calidez en el cuerpo de su padre. Lo toma de los hombros, con fuerza, casi con violencia, y lo obliga a mirarla. Por primera vez siente ese cuerpo, y también por primera vez siente que ella es más fuerte que ese cuerpo frágil y a punto de sucumbir.

—Papá, ¿usted sabía?

—¡No sé de qué me hablas!

—Papá, usted sabía.

Tal vez porque ahora hace una afirmación, la voz de Cecilia es tan débil que casi no se oye ella misma.

—No sé de qué me hablas —repite el viejo, presionado por la mirada de su hija.

—Papá, ¿usted sabía? —insiste Cecilia recuperando el tono de su voz y la pregunta.

—No sé de qué me hablas —suplica don Jovino. Y con la mirada le pide no abrir una puerta que ha estado tantos años cerrada. Le pide que lo deje conservar su mundo durante el escaso tiempo que le queda, porque en otro mundo ya no podría vivir.

Viéndolo sumido en ese abatimiento definitivo, Cecilia comprende que debe aceptar lo que su padre le pide. No tiene otra forma de vivir, es cierto. Y entiende también, viéndolo entumido y temblando sobre la cama empapada, que tampoco tiene otra forma de morir.

Oyó un ruido de pisadas por el corredor y luego unos golpes cuidadosos a la puerta.

—¿Qué pasa?

—Soy yo, señora Cecilia.

—Pase.

María abrió la puerta de a poco, como si supiera que allí estaba ocurriendo algo que ella debía ignorar.

—¿Qué pasa?

—¿Quiere que le sirva algo? ¿Me puedo acostar?

—Acuéstese, María.

Y cuando la puerta ya se cerraba:

—Deje agua caliente en el termo.

—¿Quiere un café?

—Yo me lo sirvo después. Vaya y duerma. Buenas noches.

—Buenas noches, señora Cecilia.

Cuando escuchó que los pasos de María bajaban la escalera, tomó la mano de su padre, pero esta vez la apretó sin calor porque también las suyas estaban frías.

—Quiero dormir —musitó don Jovino.

Cecilia vio en los ojos de su padre un oscurecimiento, una mirada vencida, pero también algo semejante a la noche, semejante al descanso. Había reconocido algo mucho más grave que todas las faltas que él estuvo corrigiéndole desde que era niña.

Sin saber con exactitud lo que le estaba diciendo con esa mirada, pero sintiendo que era precisamente lo que más había temido —el miedo a una confesión que fue creciendo mientras viajaba con sus hijas a la casa de su padre—, Cecilia presintió la historia completa. Todo lo que viniera después no sería sino una confirmación de esa sospecha, aunque nunca supiera, ni quisiera saber, los detalles. Había conocido el crimen y también la dificultad de la confesión. Había presentido la culpa en su padre y también intuido en sí misma el germen de una reparación. El resto tendría que empezar a reconstruirlo desde los cimientos. Y en esta noche tan larga comprendía que parte de la solidez de esos cimientos eran los silencios necesarios y la tranquila humildad.

Sobre el centro de la enorme y antigua cama matrimonial, don Jovino era un bulto insignificante, un mínimo promontorio de materia que se ocultaba de la muerte tras unas frazadas color blanco-invierno.

Una cabeza jibarizada por los años, pálida recolección de arrugas y pelos blancos aplastando apenas la rígida blancura de la almohada. Cecilia descubrió de pronto que estaba llorando precisamente en el momento en que requería de su máxima frialdad; y sin saber cómo, estaba llorando sobre el pecho de su padre, una tibia pequeñez, un torso esmirriado. Sentía en su oreja el acelerado corazón de su padre, olía esa colonia conocida desde su infancia y también los humores de un hombre que pronto iba a morir.

Se abandonó a ese descanso sobre el único pecho que nunca pensó sentir junto a su mejilla, o que al menos jamás había sentido. Descansó allí un largo dolor, tan largo como toda su vida. Lo que había comenzado allí terminaba también allí: ese pecho inaccesible y esa caricia disimulada; ese tranquilo dolor sobre la respiración agitada y final de su padre.

Sintió que la mano de don Jovino no dormía. Apretaba la suya. Y entonces se entregó a esa caricia primera, única, y también terminal.

CAPÍTULO VEINTE

43

Cuando iban girando la curva que llevaba a la entrada de pasajeros del aeropuerto, Andrés vio de nuevo el letrero que prometía orden y paz. Miró a su hermano pensando que éste había captado la ironía de la situación, pero Sergio estaba ya descendiendo del auto estacionado ahora frente a la entrada. Se dirigieron al portamaletas junto al hombre que se acercó para llevar la carga. Sergio cerró el maletero y subió al auto para conducirlo hasta el estacionamiento. Siguiendo al hombre que cargaba su equipaje, Andrés llegó una vez más frente a un mesón de Lufthansa.

El aeropuerto estaba repleto. Le pareció que era como el Paseo Ahumada a mediodía. Aunque aquí no había ese ejército gris de vendedores ambulantes, ni instantáneas vitrinas de papel, ni silbidos de alerta, ni tampoco la arremetida de pitazos y lumas del ejército verde. Aquí la guerra larga y absurda del Paseo no tenía lugar. Y sin embargo pensó que este espacio destinado a partir hacia lugares muy lejanos seguía siendo una calle, el lugar donde no se reconoce a nadie, desde donde se puede partir en cualquier dirección, desde donde se podía ver de nuevo la vida como aventura, al menos como posibilidad. Se ubicó en la fila, entusiasmado precisamente con la inminencia de una aventura, de ser parte de un todo cuya consistencia él no determinaba, no conocía siquiera, pero que lo influiría en una medida que también era parte de ese azar, de ese juego que se repetía siempre distinto, siempre impredecible. Y ese azar era ahora su compañía de este vuelo, sus ocasionales acompañantes que ya estaban en la fila. Antes de él había una familia que se reunía a ratos en torno a sus valijas y a la aburrida espera: la mujer, una chilena vestida para un largo viaje, con *jeans,* polera y un pulóver amarrado a la cintura, tres niños que se aferraban a sus piernas, a punto de llorar, y el esposo que marcaba el lugar en la fila, inmutable junto a las maletas, las que empujaba con el pie cada vez que la hilera se ponía en movimiento.

Detrás de él se colocó una mujer ya no tan joven, pero vestida y maquillada como si quisiera serlo. No era una belleza pero tenía el aire de quien lo fue realmente y se cuida para prolongar el aura de juventud y seducción que había conservado con éxito durante varios años. Qué hermosa fue, se dijo Andrés, atraído por esa imagen que era la réplica de una antigua belleza. Y qué interesante sigue siendo. Le dedicó una mirada que quiso oblicua y notoria al mismo tiempo, mientras revisaba su pasaje, el pasaporte y los billetes que había guardado dentro de éste para pagar el derecho de aeropuerto.

De nuevo estoy aquí, pensaba Andrés. De nuevo en una hilera a punto de partir. Era tal el atochamiento que la fila avanzaba con lentitud. Cuando Sergio vino a estar junto a él, luego de estacionar, ésta apenas se había movido un par de metros. Faltaba mucho todavía para llegar al mesón de embarque. Andrés sabía que era la última vez que estarían juntos en mucho tiempo. Recordaba la dura conversación bajo el árbol, el abrazo frustrado de su hermano, las mutuas recriminaciones.

—Escríbenos —dijo Sergio buscando palabras que disimularan el silencio incómodo que subyacía al barullo del aeropuerto.

—Claro.

—Pero en serio. El viejo vive de eso.

—No me digas más de qué vive el viejo. Voy a escribir. Te prometo que ahora les voy a escribir más a menudo.

—No lo digo por mí, Andrés. Aunque a mí también me gustaría saber cómo estás. Es normal, ¿no? Pero de verdad lo que me preocupa es el viejo. Y mi mamá, que también se alegra cuando llegan tus cartas.

—Llegarán.

—No lo tomes a mal. No es una exigencia.

—Supongo.

—Tampoco es una acusación, si es eso lo que te pone de mal humor.

—No he pensado que sea una acusación.

—Entonces vas a escribir.

—Es exactamente lo que acabo de decirte.

Se escuchó una llamada confusa. El altavoz recogía la ambigüedad nasal de una mujer que anunciaba cualquier cosa.

—¿Es tu vuelo?

—¿Tú escuchaste? ¿Entendiste?

—Para nada.

—No creo que sea el llamado a mi vuelo. Falta una hora.

—Mira —dijo señalándole la pizarra electrónica donde las ciudades y los vuelos iban cambiado rápidamente de posición—. Es el llamado a tu vuelo.

—No creo. Mira la fila. Si no han despachado

ni a la mitad de los que esperamos llegar al mesón, mal pueden llamar a embarcarse. Pero si tienes que irte, por favor. Entiendo que debes volver a tu trabajo.

De inmediato se arrepintió, pues su gesto de comprensión apareció duro, despectivo, y comprendió que todo lo que le dijera estaba amenazado por una posibilidad de error que traicionaba las palabras y los gestos, y que eso estaba allí, siempre presente, desde esa noche irrepetible, desde ese frustrado abrazo bajo el árbol.

—Vine a despedirte. Me iré cuando ya estés al otro lado del control.

—Está bien. Mucho mejor si te quedas.

Sintió entonces que la reparación no había cambiado el eco tenso del silencio. Seguían sin decir nada. Esperaban que el tiempo pasara lo más rápidamente posible, pero la larga fila acentuaba una penuria de relojes detenidos.

—¿No tienes nada más que decirme? —preguntó Andrés.

—¿Qué más? ¡Díme qué más quieres oír!

—¿Estás contento con mi visita?

—Sí. Estoy contento.

—¿Y con lo que pasó en la casa?

—No estoy contento —dijo Sergio.

—¿Y qué más? —insistió Andrés.

—Nada más. No tengo nada que ver con eso. ¿O no me crees? —contestó Sergio con dureza.

—Sí, sí, por supuesto creo todo lo que me has dicho.

—¡Qué quieres decir ahora!

—Creo que le arrendaste nuestra casa a esa gente. Que sabías lo que estabas haciendo. Que nunca me contaste de qué se trataba. Me excluiste de tu decisión sobre algo que nos pertenecía a los dos.

—¿Qué quieres que te explique primero?

—Nada. Ya no hay tiempo. Ya oíste la llamada.

—No quise que las cosas pasaran así.

—Supongo.

—Yo sé que has tenido tus problemas, pero aquí las cosas eran más duras. Aquí eran cosas de vida o muerte.

Se escuchó una segunda llamada cuando Andrés estaba junto al mesón, embarcando sus maletas y entregándole su pasaje a la azafata.

—Buenos días.

—*Guten Tag.*

—¿Habla alemán?

—*Ja. Ich spreche Deutsch.*

—*Schön. Raucher oder nicht Raucher?*

—*Raucher.*

—*Gute Reise. Der nächste, bitte.*

—Nunca antes te oí hablar alemán. Me gustó —dijo Sergio tomando el bolso de Andrés.

—No, déjalo. Yo lo llevo.

—Bueno. Más allá no puedo ir —dijo Sergio frente a la línea que marcaba el ingreso a Policía Internacional.

Los hermanos se quedaron frente a frente un rato largo. Cuando sus miradas coincidían, evitaban de inmediato el contacto buscando algún pretexto: era bueno mirar de nuevo las señales del letrero electrónico, comprobar la resistencia de la manija del bolso, dirigir la vista hacia la ventanilla en la que el policía aguardaba al siguiente viajero. Ambos esperaban que el otro tomara la iniciativa del abrazo. Pasó una azafata levantando un cartel que llamaba a los pasajeros rezagados. Era un letrero amarillo con letras negras y estaba escrito en inglés y en alemán. Suponían, quizás, que la difícil audición del altavoz podía ser aun más anodina para quienes no hablaban castellano.

—Te voy a mandar tu parte de la venta de la casa —dijo Sergio—. La deposito en la misma cuenta, supongo.

—No sé.

—¿No sabes qué? ¿Tienes otra cuenta?

—No.

—¿Entonces?

—¿Por qué no me dijiste que ya habías vendido la casa?

—Esperaba recuperarla algún día. No quería que supieras lo que había pasado.

—¿Puedes recuperarla?

—Creo que sí. Tengo que hablar con el padre de Cecilia.

—¿Con el padre de Cecilia? ¿Por qué?

—Porque él es el dueño de la casa.

—¿Por qué él?

La azafata que había apurado el embarque apareció de nuevo y anunció:

—Es la partida del vuelo 704 con destino a Frankfurt.

—¿Y él sabía lo que habían hecho con ella?

—Por supuesto.

—No entiendo nada.

—Él compraba las casas que se habían «quemado».

—¿Quemado?

—Que estaban muy deterioradas o ya muy ubicables como casas de tortura. Las compraba a precio de huevo y después de restaurarlas las vendía.

—¡Y le regala una de ésas a su hija!

—Por lo que él mismo me contó, quería regalarle

otra casa, una casa limpia, digámoslo así. Una casa de Las Condes, de Lo Barnechea, de Lo Curro; una casa que todo el mundo quisiera tener.

—¿Y entonces?

—Cecilia había visto una foto de nuestra casa en la oficina de ventas de don Jovino. Le gustaba muchísimo. Y cuando él le ofreció el regalo a condición de que no se separaran, ella le pidió que fuera nuestra casa. Insistió tanto, le gustó tanto la casa, que al final su padre aceptó.

—...

—Jamás imaginó que ya restaurada iba a venir la Julia a contarnos lo que había pasado.

—¿Pero cómo la DINA podía vender una casa que era nuestra? Tú siempre me dijiste que la habías arrendado.

—La arrendé, es cierto. Y seis meses después me pidieron que se la vendiera.

—¡Pero tú ya sabías lo que habían hecho con nuestra casa!

—¡Por eso acepté lo que me ofrecieron! Para ellos era una casa quemada; para nosotros, una casa inhabitable.

—Y eso tampoco me lo contaste.

—Te conté cómo me presionaron. Lo que no te dije delante de todos es que cuando me amenazaron con eso de los brazos largos, y de que sabían de ti y dónde estabas, fue cuando tuve que aceptar venderles la casa.

—¿Y por qué primero la arrendaron? ¿Por qué no te ofrecieron comprarla de inmediato?

—Porque estaba en arriendo. Sólo cuando vieron que todo funcionaba sin problemas, que el barrio no reaccionaba, y sobre todo cuando se deterioró demasiado, optaron por no llamar la atención. Si yo aceptaba la oferta, no tenían que darle cuentas a nadie.

—Nunca han tenido que darle cuentas a nadie.

—Por eso me pareció prudente aceptar.

—Era *nuestra* casa. Ahí nacimos. Ahí jugamos. Ahí crecimos. Supongo que los viejos no saben nada de esto.

—¡Cómo se te ocurre! Nadie lo sabe.

—Nadie lo sabía.

—La Julia es reservada.

—¡No digo eso! ¡Ojalá todos lo supieran!

—Justo cuando tienes un pie en el avión, ¿verdad? ¿Y cómo quieres que se sepa? ¿Cómo lo preferirías tú? ¿Quieres que vaya ahora mismo a poner una denuncia? ¿Y adónde? ¿A Carabineros? ¿A la DINA? ¿A los jueces? ¿Adónde?

—¿Y si hubiera un lugar donde hacer la denuncia? Si hubiera ese lugar, ¿la harías?

—No sé.

—Tiene que haber un lugar.

—¿Tú la harías?

—Por supuesto.

—Entonces quédate.

—Si me dices adónde ir, me quedo. Al menos unos días.

—...

—¿Qué me dices?

—Lo que me duele es que no puedo decirte nada. No hay nada que hacer. Nada que tenga algún efecto.

—El sistema funciona.

—A la perfección.

—Por eso van tan bien tus negocios en la Bolsa.

—¿Por qué dices eso?

—Porque todo funciona en orden y paz. Hay seguridad para invertir.

—Sí. Tal vez por eso.

—Y porque nadie sabe lo que pasa —ironizó Andrés.

—Justamente.

—¡No me mientas! ¡Por lo menos a mí no me mientas! Todos saben.

—Te juro que hay mucha gente que no sabe.

—¡Pero ustedes saben!

—¿Qué quieres decir con *ustedes?* ¿Quiénes somos *nosotros?*

—Los que están haciendo el gran negocio.

—No digas huevadas. No tiene nada que ver una cosa con otra.

—¿No tienen nada que ver?

—Son cosas distintas.

—¡No son cosas distintas!

—Hay inversión porque hay seguridad, de acuerdo.

—Porque hay orden y paz.

—En cierto sentido hay más orden y más paz, si comparas con el caos del setenta y tres...

—¿Y lo que pasó en nuestra propia casa? ¿Eso no te dice nada? ¿Ésa es la paz de que me hablas? ¿No viste que había huellas del horror por toda la casa? Si hasta en nuestro dormitorio instalaron parrillas. ¿Ése es el orden y ésa es la paz?

—Lo que pasó es horrible. Pero también está lo otro.

—¿Qué es lo otro?

—Lo que tú mismo dijiste. Avanzamos. Económicamente el país está mejor que nunca. Leíste los diarios, ¿no? Esas cifras son verdaderas.

—Avanzamos en orden y paz.

—Yo no he dicho eso. Sólo he dicho que avanzamos, aunque no quieras creerlo.

—¿Con casas de tortura?

—Yo no quiero que haya casas de tortura. Es una estupidez que relaciones las casas de tortura con el crecimiento.

—¡Pero si no las relaciono yo! ¡Las relaciona la realidad! ¡Estamos hablando de hechos! —gritó Andrés.

—Es una interpretación de los hechos. Tan estúpida y doctrinaria como tus antiguas interpretaciones de otros hechos. ¿Qué quieres decir con tu argumento? ¿Que tortura y crecimiento son dos caras de la misma moneda? Si es eso lo que piensas, entonces estás, sin darte cuenta, pensando como el más fanático de los fascistas. Cuando digo que tortura y crecimiento no tienen nada que ver, quiero decir que creo en el crecimiento sin dictadura. Es más, estoy convencido de que ya topamos el techo y que de hoy en adelante el desarrollo sólo puede continuar si termina la dictadura.

—Según tú lo explicas, sería una especie de *conditio sine qua non*.

—Exactamente.

—Me recuerda una escena de *Los días de la Comuna*. ¿Conoces esa obra de Brecht?

—No.

—En la primera escena, en la terraza de un restaurante, el hombre gordo conversa con el camarero que le sirve su comida, mientras van pasando por el fondo del escenario los desechos de la guerra. Se trata de la guerra franco-prusiana que, de paso, terminó con la Comuna de París. Hombres con muletas, con las cabezas vendadas, hambrientos a la espera de las sobras. El camarero exclama: «Parece que esta guerra no va a terminar nunca». Y el hombre gordo lo tranquiliza: «Al contrario. Esta guerra va a terminar muy pronto». «¿Por qué dice usted eso?», pregunta el camarero. «Porque todos los negocios que se podían hacer con esta guerra ya se hicieron. El único negocio que queda por hacer es terminarla.»

—Me parece bien que terminen las guerras y que terminen las dictaduras —respondió Sergio—, aun si lo que se busca es sólo hacer nuevos negocios. Piensa bien en lo que dice el mismo Brecht. Él no asocia mecánicamente dictadura y negocios. Es más profundo. Es más realista. A veces dictadura y negocios se contraponen.

—No aquí, en medio de tanto orden y tanta paz —insistió Andrés.

—De acuerdo. Pero no hay futuro si creemos que esos negocios son una simple prolongación de la dictadura.

—Futuro para esos negocios, querrás decir.

—Futuro para todos nosotros. Estoy hablando de nuestra casa, si quieres que sea más claro. Dentro de muy poco la gente va a comprender que no habrá un freno mayor para nuestro desarrollo que la mantención de la dictadura.

—¿Quieres decirme que los mismos que necesitaron la dictadura van a necesitar ahora la democracia?

—Así es —replicó Sergio, imperturbable.

—De modo que con la democracia no se van a terminar esos negocios.

—De ninguna manera —dijo Sergio serenamente, y tras una pausa agregó—: La condición para la vuelta a la democracia es la continuidad de esos negocios y de muchos otros que se harán.

Ya no había pasajeros para el vuelo de Lufthansa

frente al control de policía. Hacía rato que la azafata había desaparecido y lo más probable era que ya no regresara para gritar un nuevo anuncio de partida.

—Tienes que irte.

—Nos escribimos.

—Claro. ¿Pero adónde te mando el dinero?

—Ya veremos. Te voy a escribir. Cuida a los viejos.

—Les hizo bien que vinieras. ¿Te diste cuenta? ¿Viste con qué cara el papá esperaba el trago que le preparaste ayer? «Éste me lo está haciendo Andrés, es un aperitivo alemán», me dijo cuando estabas en la cocina. Cree que vas a volver.

—Tengo que irme.

Andrés abrió sus brazos a todo lo ancho y Sergio se cobijó de inmediato en esa promesa de cercanía de la que colgaba como una antigua bandera el trajinado impermeable de su hermano. Éste lo apretó en el abrazo y apoyó su mejilla en la cabeza de Sergio, que sintió tibia y pesada. Cerró los ojos y cuando los abrió de nuevo el abrazo duraba, pero él ya tenía la vista fija en el policía, la ventanilla, el pasillo, el control de equipaje, el perro que olfateaba las maletas, la luz que venía de la losa. Sólo quedaba el lado de allá. La espera siguiente, otra partida, recaer en las distancias.

CAPÍTULO VEINTIUNO

44

Cecilia decidió prescindir de la protección de don Jovino y también de su propia actitud protectora hacia Manuel. Sentía la urgencia de empezar por fin algo que debió hacer precisamente en los días en que los escarceos amorosos con Manuel fueron acercando —sin que nadie pudiera oponerse— el matrimonio que ahora terminaba de una manera tan triste y al cabo de una agonía tan larga: construir su independencia. Aprender que hay errores que pueden quedar sin corregir, pues si no se corrigen no le pasa nada a nadie. Empezar a perdonarse ella misma, y sobre todo a no exigirles a los otros lo que ella no puede lograr si se esclaviza a su desmesurado sentido de la culpa.

Retomó sus clases en la universidad. Introducción a la Filosofía martes y jueves de 11:50 a 13:20, y Teoría del Conocimiento lunes y viernes de 8:30 a 10. Firmó un contrato para traducir tres obras de Descartes y consiguió con una amiga el monitoreo de estudios motivacionales requeridos por una agencia de publicidad. Eso no bastaba para vivir, pero aún podía lograr algo más, quedaban horas en el día, y si faltaban, se sacarían del sueño. Creyó recuperar su independencia, y a veces sintió que eso era algo parecido a la soledad. Ser más libre abría posibilidades que ni siquiera estuvieron en el ámbito de sus deseos, pero implicaba limitaciones de cuya existencia nunca tuvo idea. Sin embargo, sabía que ser libre era como empezar a vivir.

Por las tardes dejaba a Descartes en su mesa de trabajo, perdido entre cientos de apuntes y tachaduras, y salía a buscar lo que sería su nueva casa. Vivía entonces en un departamento pequeño que su padre tenía en venta y que le ofreció como su último regalo, porque el tiempo se le acababa, pero Cecilia insistió en la negativa, había algo aun más importante que la casa, y en eso no haría concesiones. La única dificultad que suponía ocupar sólo por algunos días el regalo transitorio y frustrado de su padre tenía que ver con las interrupciones en su trabajo. Cuando estaba absorta en la traducción sonaba el timbre y ella entonces debía mostrar el departamento a los inesperados visitantes, esos ojos ansiosos, esa sonrisa sumisa, ese diario de domingo asomando sus arrugas debajo de una manga. Era, sin embargo, una dificultad menor y relativamente escasa, al punto que durante días no llegaba nadie hasta la puerta y entonces la traducción y la preparación de las clases avanzaban espléndidamente.

Una tarde cálida de fines de noviembre, estimulada por la inusual fragancia de las flores y el aroma fuerte de la tierra recién regada de los jardines aledaños, Cecilia sintió la necesidad de bajar y sentir más cerca esos aromas, esa vida, ese polen invisible, ese trastorno que entraba por la ventana. Dejó el cigarrillo que ya le causaba cierta náusea, dejó a Descartes abierto en la página 114 de las *Meditaciones metafísicas,* dejó también la aflicción que la había acompañado ese tiempo como una lepra, y que esa tarde se retiraba tan de repente como un milagro.

En su auto estaba el diario del domingo con los avisos de arriendo a considerar destacados con el mismo señalador verde que le advertía las luces rojas de las *Meditaciones.* La idea era buscar en torno a la Plaza Ñuñoa, y si las ofertas marcadas en el diario resultaban menos convenientes que lo ofrecido en el anuncio, ir abriendo el radio a partir de esa preferencia, una plaza tan familiar como sus recuerdos de niña.

Y como en los alrededores de la plaza se ofrecía un departamento como nuevo que le pareció soñado, detuvo el auto en el estacionamiento del edificio y subió las escaleras hasta el cuarto piso. Alguien pensará que un departamento en el cuarto piso ha perdido buena parte de los atributos que podrían hacerlo soñado. Sin embargo, Cecilia sabía que esa aparente desventaja era el secreto anuncio de otras ventajas compensatorias. Si un edificio no cuenta con ascensor, un departamento ubicado en el cuarto piso cuesta por lo general menos que uno situado en el segundo. Y sabía también que para ella esa diferencia, que no hacía a la calidad de la vivienda sino solamente a su posición, significaba mucho y era una suma que crecía en importancia con el simple paso del tiempo.

—Hola, cómo estái. Qué suerte tuviste, yo ya me iba. Pero no, cómo se te ocurre, mi amor, entra no más. Esto te va a matar.

La mujer joven que mostraba el departamento la trató desde el saludo con esa confianza artificial, ese lenguaje de teleserie, esa mentirosa y en el fondo desafectada familiaridad que a Cecilia le producía irritación.

Pero el departamento bastaba para aplacar las molestias del más irritable. Estaba renovado al punto de parecer recién construido. Cecilia dejó su cartera y el diario sobre el piso alfombrado de un color que destacaba la blancura del papel que cubría los muros. El living le pareció amplio y el ventanal generoso. Ofrecía como vista un sorpresivo alarde de follajes, un tramado de árboles de distintos colores y tamaños, ramas y hojas de impetuosa presencia a los rayos de un sol que decaía maravillosamente tras ese encuentro de patios traseros. Y había también una pieza para las niñitas, con buena luz y espacio suficiente para sus camitas y sus juguetes, y el piso estaba cubierto por una alfombra impecable... y un closet cuya puerta se había trabado al secarse la pintura... y que ella abrió con una fuerza excesiva... El closet, la inminencia del desperfecto, el tirón violento y el temblor que persistió en la puerta convocaron en Cecilia un instantáneo y estremecedor recuerdo.

—Cuidado, mi amor. No me destruyas el departamento.

Y como el mutismo de Cecilia se sumó al último temblor de la puerta, la mujer alivió el desatino con el mismo tono de falsa familiaridad.

—No te preocupes, es sólo la pintura. Pero a mí me encanta el olor de la pintura fresca. Hasta me vuela un poco, fijaté —dijo riéndose de una forma que a Cecilia le pareció ordinaria—. ¿A ti no te gusta el olorcito a neoprén de la pintura?

—No sé de neoprén. Me gustaba el olor de la pintura, sí. Pero ya no sé.

La pieza de al lado era más pequeña, un cuarto de alojados, probablemente. Un cuartito para ella. Como el cuartito lila de la casa. Para estar sola, para traducir, para leer, para no estar. Pensó que una casa era un mundo imaginario, un producto de los sueños , y si éstos se echaban a volar, ésa sería definitivamente su casa, la deseable como domicilio. Y se puso a imaginar: aquí pondré esto, aquí esto otro. Esto en la pieza de las niñitas. En el cuartito lila tomarían el café con el abuelo. Los domingos, después de almorzar. Recordó entonces que la noche anterior, mirando en la televisión un programa sobre el divorcio, se planteó la pregunta: ¿y Manuel? ¿Cuántas veces podrá ver a sus hijas? Las verá cada vez que quiera verlas. Cada vez que ellas quieran estar con él. Hay que poner orden en la vida. No. Más que eso. Hacía falta mucho más que orden. Habrá que poner más humanidad, más libertad...

—¿Quién vivía aquí antes? —preguntó asaltada por una inquietud y porque el departamento le encantaba.

—¿Antes de qué?

—¿Quiénes fueron los últimos arrendatarios?

—Un matrimonio de gente mayor, linda. Por eso la casa está impecable. Cuando el señor murió, los hijos se la llevaron a ella a una casa de reposo.

—¿Y antes?

—¡Cómo voy a saber lo que hubo antes, mi amor! Ellos vivieron aquí más de diez años.

—Y ese señor, ¿qué hacía?

—Era profesor en la universidad.

—¿Diez años, dice usted?

—Algo así.

Y cuando empezaba a soñar con sus muebles instalados entre esas paredes, y a pensar en lo que había que botar y era bueno botar, y lo que iría agregando de a poco a lo indispensable, de modo que todo fuera distinto, y fuera ella entonces en su casa rodeada de las cosas que quería, y no un fantasma perdido entre un montón de objetos inútiles; cuando ya se sentía viviendo entre esas cuatro paredes, recién pintadas, nuevecitas, con olor a pintura y a pegamento, pero también con la fragancia que llegaba desde los exuberantes patios traseros de esas casas ñuñoínas; cuando se perdió un minuto en la contemplación de esos jardines, ya sin malos recuerdos, gozando como un aire nuevo ese estado de placidez que hacía tiempo había olvidado, fue despertada súbitamente por una pregunta certera.

—¿Qué hace tu marido?

—¿Por qué me pregunta eso?

—Él va a arrendar la casa, ¿o no?

—Soy separada.

—¿Separada?

—Sí. Separada. Pero trabajo. La casa es para mí. Para mí y mis hijas.

—¿Y tú qué haces?

—Soy profesora.

—¿Profesora?

—Sí, profesora. ¿Por qué pone esa cara?

—Oye, no tengo otra. No te pongo ninguna cara. Pero vas a necesitar un aval.

—No tengo aval.

—¿Conoces a alguien que pueda responder?

—Yo puedo responder.

—Alguien que tenga bienes, quiero decir. Algún pariente, un amigo. Me basta un nombre, mi amor.

—Mi padre es dueño de una inmobiliaria.

—¿Y por qué no le arriendas a él?

—Vine por el departamento, no a contar mi vida.

—Te digo, no más. Pensé que sería para ti mucho más fácil.

—Sí. Mucho más fácil. Pero quiero que esta vez sea de otra manera.

—Vas a perder el departamento. Es una pena.

Pero ella no quiere que el padre sea el aval. No será nunca más aval de nada. Será el padre. El abuelo. Y de lo otro no se hablará jamás.

—Es que profesora, linda...

—Soy profesora universitaria.

—Ah, bueno. ¿Y de qué universidad?

—Universidad de Chile.

—¿Ves? Vas a necesitar un aval.

—Explíqueme qué quiere decir.

—Quiero ayudarte, linda. Me caes bien. Pero también tengo que hacer mi trabajo. Mira: pon en la solicitud algo más conveniente. Ni siquiera tienes que inventar nada. Basta con hacer bien las cruces, ponerlas donde corresponde. Donde dice estado civil, marca el casillero dos. ¿Ves? Soltera, casada, separada. Tú pones *casada.* Donde dice niños, marca *uno.* Donde dice edad de los niños, no se te ocurra poner cuatro o seis. Pon *quince.* Donde dice aval, escribe el nombre de tu padre. Y donde dice actividad del aval, escribe lo que me dijiste. Es verdad, supongo. Entonces escribes: *dueño de una inmobiliaria.*

—Y donde tengo que poner mi nombre, ¿qué pongo? ¿Gabriela Mistral o Marilyn Monroe?

Ya había recogido su cartera del suelo y dejado el diario allí, tal vez sin darse cuenta, cuando oyó el tono sorprendido de la mujer a sus espaldas.

—¿Qué, mi amor?

—Nada. Hasta luego —y ya había abierto la puerta y buscaba la escalera y el pasamanos para irse de allí lo más rápido que se pudiera.

—Perdóneme. Sólo quise ayudarla —gritó la mujer desde arriba.

—Lo sé. Se lo agradezco.

—Oiga, no me hable con esa arrogancia —volvió a gritar la mujer cuando oyó que los pasos de Cecilia se habían detenido en un rellano y que ésta la estaba escuchando, aunque no pudiera verla—. Yo sólo quería que se quedara con el departamento. Quería que esta mierda se arrendara esta misma tarde. Yo vivo de esto.

—¡Métase su mierda de departamento por el culo! ¡Seguro que le cabe!

45

Baja las escaleras del edificio como si la persiguiera su propia irritación, esa grosería que no había deseado, esa violencia que odiaba. Los pasos que resuenan en los peldaños le dicen: otro error, otro error, otro error. Corregir, corregir, corregir. ¿Tendrá que devolverse, dar una explicación a esa mujer que tal vez quiso ayudarla sugiriéndole que llenara de mentiras la solicitud? Los pasos en los escalones le dicen otro error, otro error, otro error, así no vas a encontrar nunca dónde vivir, así no vas a tener un nuevo departamento, error, error, error, fue claramente un error, mientras bajaba, mientras giraba bajando a toda carrera, aferrada al pasamanos, sintiendo la cerámica fría y dura de los escalones, corregir, corregir, corregir.

¿En qué mundo vivía? ¿Quién les dio el derecho a decidir si te equivocaste, y por qué? No te cases. No te separes. No te cases. No te separes. No digas malas palabras. Y nunca pierdas la calma. Y bajando la escalera ve a través del vano de luz que coincidía con el rellano una plaza de juegos en la que los niños se columpian, trepan a unas locomotoras pintadas de colores, se revuelcan en el césped. Y no piensa que allí pudieron haber jugado sus hijas, sino más bien imagina, siente como un canto en sordina que estalla junto a su oreja, como un coro de niños en los patios de su infancia, estas mismas palabras con ritmo de ronda infantil:

No-te-cáses
No-te-se-páres
No dí-gas má-las pa-lá-bras
Tam-pó-co piér-das la cál-ma

Sí. No debía perder la calma. Había que conservar la *paz* interior y respetar el *orden* natural de las cosas. Pero es que ya no creía en esas palabras. Y estaba a punto de no creer más en nada. Ni siquiera en sí misma. Sólo creía en las palabras que taladraban sus oídos a medida que bajaba la escalera. Palabras aterradoramente verdaderas, presentes y nítidas hasta la desesperación.

Se repetían como un eco en la voz almibarada de la mujer.

¿Profesora?

¿Separada?

Pon ahí otra cosa.

Yo quiero ayudarte porque me caes bien. Pero tienes que poner ahí otra cosa.

Y esas palabras se confundían con otras, las de su padre:

Trata de nuevo. Te regalaré una casa. Una casa para empezar una etapa nueva. Para dejar atrás los años difíciles. Para quererse y no estar solos.

Las de Manuel:

Qué hacer, si ya estamos instalados aquí...

Si no fuera ésta la casa maldita, pudo ser la de al lado o la de la esquina.

¿Por qué vamos a tener el privilegio de que justamente la nuestra no lo sea?

Las de Julia:

—Tus hijas están durmiendo en la pieza donde había dos parrillas.

—¿Parrillas?

—Sí. Parrillas. La cama conectada a la electricidad, a un golpe de corriente. La cama eléctrica. Como una silla eléctrica, pero que dura.

Las de Andrés:

—Ahora sé que no vuelvo. Aquí no podría vivir.

—¿Y nosotros? ¿Podemos vivir nosotros?

—Bueno, no sé cómo pueden. Si hubiera estado aquí todos estos años, tal vez yo también podría.

—Cómo quisiera no haber estado aquí todos estos años para tener la maravillosa facultad de no poder.

Y va bajando, bajando, eran cuatro pisos solamente, y parece que fueran tantos los peldaños, las voces, lo que se ha ido apozando en la memoria y acrecentando el miedo, lo que va cayendo con ella en el final de algo que no llega nunca, es todo descenso, vértigo, foso sin fondo, puro estar en el aire, pero en vertical caída. Yo no he volado nunca, mijita, decía la Chelita —decía la Julia que decía la Chelita—, pero el miedo es como una caída, como una caída que ya no tiene ni suelo ni remedio. Y va bajando esa tarde de primavera los peldaños de un cómodo departamento en un edificio ñuñoíno, en una calle con árboles y con pájaros, con voces de niños que juegan en la plaza, con olor a pan fresco y a café llegando desde los departamentos, como llega el ruido de pasos desde la calle, y las voces, y esa brisa cálida de ciudad tranquila... Todo parece tan normal... como si se pudiera vivir allí tan simplemente. Y al mismo tiempo siente que va cayendo, que la pendiente no tiene fin, que sigue bajando hacia algo muy horrible que no termina de llegar; que baja, que va bajando; que sigue bajando; bajando como si agotara las escaleras de un sótano; bajando a lo peor, como le contó la Chelita a la Julia, y la Julia a ella, y ella desde ahora, también, a quien quiera oírla, si después de esto encuentra el aliento, encuentra las palabras. Y si esas palabras no se ahogan en el grito.

La salvó de la locura una fragancia de pan recién tostado que llegaba desde uno de los departamentos.

46

Último grito de las olvidadas

nosotras, las últimas ocupantes de la casa; las que sangramos aquí, las sometidas a este horror; las que éramos bajadas al sótano, las que contábamos los ocho peldaños cada tarde, las que gritábamos, las que aullábamos,

las ingenuas esperanzadas, las que aún creíamos en la súplica y la misericordia,

las que ya sin esperanza de nada seguíamos gimiendo y llorando, apagándonos con nuestras lágrimas,

nosotras, las que aún vivimos
preguntándonos si es suerte o maldición;
y las que sobrevivimos sin preguntarnos ya nada,
y las hechas desaparecer antes de cualquier pregunta,
nosotras,
últimas ocupantes olvidadas,
ni siquiera tenemos la paz de los mortales
pues seguimos muriendo en esta casa

47

Cada día más tensa por las irritantes dificultades que suponía para una mujer como ella arrendar una casa, Cecilia dedicaba tardes enteras a recorrer las que se anunciaban en los avisos. Lo grave es que ya era menos entusiasta al mostrar la que ocupaba en esos días —y ya no eran días sino semanas, un par de meses—, asustada por la posibilidad de que el arrendamiento de su morada transitoria la privara antes de tiempo de un espacio para vivir. Pero como no quería aceptar bajo ninguna circunstancia el cómodo ofrecimiento de su padre, pues sabía que siempre terminaba enredada en esa aparente facilidad, se esforzaba en su empeño de ubicar una casa que cada vez se parecía menos a la originalmente soñada; iba cayendo en una distancia que no podía sino dolerle si la comparaba con el jardín reverdecido, y la elegante escalera, y los espacios tan amplios, y la hermosa fachada de la casa perdida.

Una tarde, en una de las tantas vueltas por la ciudad guiada por los avisos destacados con el señalador, y aunque jamás pretendió acercarse de nuevo a ese lugar, se encontró frente a frente con la casa vacía.

Cuando instintivamente detuvo el auto, ya la casa había quedado a considerable distancia. Pero la calle era tranquila y pudo retroceder hasta la mitad de la cuadra. Encendió un cigarrillo, terminó de bajar el vidrio, y se dedicó a contemplar esa casa otra vez vacía, sumida ahora en un nuevo abandono.

Pensó que durante el tiempo en que estuvo deshabitada resonaron entre sus paredes las mismas voces. Pero si nadie oyó a las olvidadas, era como si no hubiesen existido, como si no dijeran nada. No hay voz sin un oído atento. Ni palabras. Ni humanidad, pensó. Pero sabía también que esas voces estuvieron allí antes del oído. Estuvieron ahí porque el dolor estuvo ahí. Y estuvieron los gritos y el llanto; y estuvo el quejido con voz de bisagra saliendo desde los rincones; y la respiración ahogada sobre la colchoneta; y la desesperada inhalación cuando por un segundo puede salir la cabeza chorreando toda la miseria pensable desde el fondo de una bañera. Voces desesperadas, sí. Voces que venían desde los márgenes, desde los límites, desde el final de la vida y el primer apretón de la muerte. Voces que nadie oyó cuando la casa estuvo vacía; voces que sólo ellos escucharon esa noche porque un día, esperando a su padre en la Inmobiliaria, ella se quedó mirando la foto de una casa tan linda, arrasada por la maleza y el olvido. Había algo bueno entonces en lo que les había pasado: oídos para esas voces. Fue bueno que su mano empujara la puerta de fierro amenazada por la herrumbre, y entrara por primera vez en la belleza abandonada preguntándose por la causa del abandono. Por eso aquella noche hubo oídos atentos a las súplicas que subían desde el sótano y un deseo de dar amparo a tanta soledad. Ese oído no sólo rescató lo que seguía viviendo en esa casa; lo recobró también para ella misma; para Julia; para Andrés viviendo la misma soledad desde tan lejos; para Sonia, nunca resignada a la suya aquí tan cerca; y para todos los que escucharon esas voces, pues tomaron decisiones que tal vez mejoren sus vidas.

Sí, es así, piensa Cecilia en el auto, encendiendo otro cigarrillo: fue bueno entrar en la casa para escuchar lo que nos decía desde sus rincones. Había que hacerlo no sólo por respeto al dolor de quienes habían sufrido allí, sino porque ese dolor tenía mucho que ver con las penurias que la seguían persiguiendo afuera.

Había que oír esas voces. Quienes las escucharon podían encontrar respuesta a sus angustias. Lo advirtieran o no, nunca sus destinos pudieron alejarse de esas paredes.

Si no hay oídos para el dolor, no hay oído verdadero para nada.

Todos somos vulnerables a la desgracia. El único consuelo es saber que nuestro lamento será escuchado por un corazón solidario.

¿Habrá un corazón abierto a las voces de la casa?

¿Quién es capaz de empujar esa pesada puerta?

Agradecimientos

A Mariana, por sus consejos.

A Carlos Orellana,
por su estímulo y su entusiasmo
en la etapa inicial de este libro.

A Marcelo Maturana,
por sus acertadas observaciones en la
redacción final del texto.

A Marcela Gatica,
por su adhesión permanente.

A Magaly Villalón,
Verónica Rojas y
Claudia de la Vega,
por su aporte en la realización gráfica del libro.

A Carlos E. Ossa
y
Editorial Alfaguara.

Al Fondo de Desarrollo de la Cultura y las Artes
(FONDART),
por la beca que lo hizo posible.

Este libro se terminó de imprimir
en el mes de abril de 1998,
en los talleres de Antártica Quebecor.S.A.,
ubicados en Pajaritos 6920,
Santiago de Chile.